La Maison d'Oncle Max

Cahier d'Activités

By

Nicole Fandel

www.waysidepublishing.com

Printed in USA

2 3 4 5 6 7 8 9 10 KP 16

Print date: 207

ISBN 978-1-877653-29-2

Table des Matières

ACKNOWLEDGEMENTS

I would like to thank all who supported me, helped me and encouraged me throughout the elaboration of this "Cahier d'Activités." They include: Carrie Bolster, Michèle and John Bonner, Chloé, Lucy and Peter Fandel, Madge Evans, Joseph Won and mostly Loïza Nellec-Miles from Northeastern University who went over the text with a fine-tooth comb, triggering wonderful discussions between us.

A very special thanks to Théo Bonner who proofed all the exercises with me, and whose reactions and comments helped me to make substantial improvements.

I am also grateful to Greg Greuel and Scot Richie, "éditeur and illustrateur par excellence", for their skills, their patience and their knack for making this project an exciting and enjoyable process.

Thank You

Nicole Fandel

CREDITS

PAGE 11: 1/ Gare de Lyon - http://commons.wikimedia.org/wiki/File:Paris_Gare_de_Lyon_dsc03797.jpg. This file is licensed under the GNU Free Documentation License.

2/ Avignon - http://commons.wikimedia.org/wiki/File:Vue_depuis_l%27île_de_la_Barthelasse_de_la_ville_d%27Avignon.jpg. This file is licensed under the Creative Commons Attribution-Share Alike 2.0 France license.

PAGE 13: Thank you Peter Fandel

PAGE 17 1/ Les Alpes: http://commons.wikimedia.org/wiki/File:Les_Deux_Alpes_(_Venosc_-_Muzelle).jpg. This file is licensed under the GNU Free Documentation License.

2/ Riviera: http://commons.wikimedia.org/wiki/File:Coted%27Azur-Beaulieu-France.JPG. This file is licensed under the Creative Commons Attribution-Share Alike 3.0 Unported license.

PAGE 21 1/ Thank you Joseph Won for the portrait photo.

2/ The attic: http://commons.wikimedia.org/wiki/File:Wikipedia-dachboden.jpg. This file is licensed under the Creative Commons Attribution-Share Alike 2.5 Generic license.

PAGE 36 Harbor: http://commons.wikimedia.org/wiki/File:Menton_Old_Town_and_Harbour.jpg. This file is in the public domain.

PAGE 50 Thank you Peter Barrett for the delicious cassoulet picture.

PAGE 53 1/ Carcassonne: http://commons.wikimedia.org/wiki/File:Carcassonne_cote3.jpg. This file is licensed under the Creative Commons Attribution-Share Alike 3.0 Unported license.

PAGE 58 Black Motocycle: Thank you Jean-Paul Fandel.

PAGE 68 Kiosque: http://commons.wikimedia.org/wiki/File:Orsay_Le_Guichet_2012_06.jpg. This file is licensed under the GNU Free Documentation License.

All other images were obtained through shutterstock.com or were the property of Nicole Fandel

TO THE STUDENT

Welcome to this Cahier d'Activités which is a complement to the book *La Maison d'Oncle Max*. It coordinates, develops, supports, and enhances the themes, vocabulary, structures and cultural elements covered in the story, chapter by chapter. Reading the adventures of "Les Cinq" written especially with you in mind, eased you into understanding ideas and sensing meaning without translating. These exercises, whether you do them alone, in groups or in class, will allow you to recall, practice, clarify and expand what you learned. The variety of activities and touches of humor are designed to keep you engaged.

FORMAT

For each chapter, there are six types of exercises, spread over two sections: the first set will allow you to practice your **comprehension**, the second will go through useful **grammar** structures with brief explanations and reviews, and the third will address **vocabulary** acquisition and usage. They will help you sharpen your skills, verify and evaluate your strong and weak spots in each area.

You will have several opportunities to check your comprehension: questions and answers, completing sentences, true or false, matching lists or filling in the blanks. The grammar units, simple and practical, address the tricky points of grammar that students tend to stumble on. The review-boxes summaries and simple explanations are followed by short exercises that allow you to check your ability to use the text in a given structure, and, eventually, to identify the strong, weak or tricky points of grammar in need of revision. The vocabulary exercises are varied. They include practicing newly acquired vocabulary, finding cognates in the text, discovering idioms and their use, and decoding everyday French in order to recognize whether it is "cool", slang (in italics), correct or formal.

That will prepare you to understand, speak, and be at ease with your French contemporaries.

The last set of exercises will encourage you to become more personal and creative. You will be asked to **write** a journal or a blog, and to conduct **Internet searches** in authentic French, during which you'll discover French sites and even a song. You will be invited to **act out** dialogues from the book - with scripts, memorized or not - as your teacher directs. Another option could be to create your own video. Depending on your teacher, this second part can be used for tests, exams, extra credit, creative projects and even be optional, if you are working alone.

I believe you will discover, as you overcome the challenges of these activities, how satisfying language learning can be.

TO THE TEACHER

A complement and enhancement to *La Maison d'Oncle Max* , this Cahier d'Activités was conceived to coordinate, develop, support, and expand the themes, vocabulary, structures and cultural elements covered in the story. Chapter by chapter, it keeps a firm hand on learning, but insists on current usage of the language, humor and a certain levity.

Without translating and shuttling between text and dictionary, students will understand a contemporary story written by a native French speaker in authentic French. It is assumed that the students, who are at the intermediate level, are familiar with a second or third year standard French level vocabulary and grammar. The Cahier d'Activités will allow the students to absorb, review, use, practice and become comfortable with structures and vocabulary in various situations taken from the story. The simple and practical grammar units address the tricky points of grammar on which students tend to stumble. The review-boxes summaries and deliberately simple explanations are followed by short exercises that are meant to check the students' ability to use the text in a given structure, and, eventually, to identify the strong, weak or tricky points of grammar in need of revision.

The comprehension, vocabulary, and grammar skills will be checked in various ways: comprehension will be checked through questions and answers, sentences to finish, true or false, matching lists or filling in the blanks. The vocabulary exercises vary as well: practice of the newly acquired vocabulary in given sentences, requirements to find series of cognates in the text, discovering idioms and their use, as well as decoding everyday French in order to recognize whether it is "cool", slang (in italics), correct or formal.

This will prepare the students to connect properly, understand, and be at ease conversing with the French whether they be adults or contemporaries.

FORMAT

For each chapter, there are two different sets of exercises.

Part One has three sections. The first checks **comprehension** in as many different ways as possible. The second presents or recalls useful **grammar** structures, sometimes neglected or forgotten, with brief practical explanations and reviews. The third addresses **vocabulary** acquisition and usage. These are meant to help sharpen the students' skills, to verify and evaluate their strong and weak spots in each area, and send them to you or their textbooks for extra work. These diverse exercises are probably best done alone, while those in Part Two can be done alone, in groups, in or out of the classroom, as the teacher prefers.

Part Two is more personal and creative, offering you, the teacher a variety of options. The exercises will encourage the student to **write** a journal or a blog on suggested topics, make maps and time lines, and conduct selected **Internet searches @** on France in authentic French and with growing ease. In the last activity, the students will be asked to **act out** the dialogues from the book, with a script or from memory as you prefer. They can also write and act their own version of the story and make **videos** of their own creation.

The journal, blog and Internet research would be individual projects, but the last oral work should be group work that could be used for tests, exams, homework, presentations, extra credit or just be optional bonus work for students working alone.

The combination of text and activities can be an integral part of a curriculum, but also a review unit providing a break from the standard textbook. It could be a summer class program or a project for individual students who need to review, evaluate or just practice their French. It can also be used with students who fear losing ground in the language because they are unable to attend school for medical or personal reasons.

In short, students can use *La Maison d'Oncle Max* in many different ways to improve and practice their French.

I believe that students and teachers will enjoy the process... and the resulting progress.

CHAPITRE 1
Activités

VIVE LES VACANCES

Amis valent mieux qu'argent.

I. Compréhension

EXERCICE 1 *Choisissez la bonne définition.*

ex: Le TGV ⟶ *c'est un train à grande vitesse.*

1. Un lycée
2. Composter
3. Perrier
4. Charlemagne
5. Le permis de conduire
6. Le bac
7. Rêver

a. c'est un examen qui permet d'aller à l'université.
b. c'est un document qui permet de conduire une auto.
c. c'est vivre dans sa tête, ne pas avoir les pieds sur terre.
d. c'est une eau minérale.
e. c'est une école secondaire.
f. c'est valider son billet de train
g. c'est un empereur qui a introduit les écoles en France au IXe siècle.

EXERCICE 2 *VRAI OU FAUX – Corrigez les erreurs.*

ex: C'est l'histoire du Club des Six. *F: c'est le Club des Cinq.*

1. Les employés vont au bureau. ______________________
2. Perrier est une marque d'automobile. ______________________
3. Les amis vont en vacances ensemble pour un mois. ______________________
4. Vaison-la-Romaine est à l'est de la France. ______________________
5. Le TGV part à midi. ______________________
6. Alex est sportif. ______________________
7. Ségolène est une jeune fille très déterminée. ______________________
8. Kip est la sœur de Jean-Michel. ______________________
9. Mehdi adore son ordinateur. ______________________
10. Les Cinq sont amis depuis 5 ans. ______________________

II. Grammaire • La Négation

HUMAIN		OBJET	
(+)	(–)	(+)	(–)
tout le monde	**personne... ne**	**tout**	**rien... ne**
everybody	nobody	everything	nothing
n'importe qui	**ne... personne**	**n'importe quoi**	**ne... rien**
anybody		anything	

ex: (+) Tout le monde aime les vacances *(–) Personne ne déteste les vacances.*

(+) Tout les intéresse. *(–) Rien ne les ennuie.*

On ne donne pas son numéro de téléphone à n'importe qui.

On ne doit pas manger n'importe quoi.

EXERCICE 3 *Placez ces 6 expressions dans les phrases suivantes.*

1. ______________________ n'aime les disputes.
2. Prudence! Si on se dispute, il ne faut pas dire ______________________.
3. En voyage, il ne faut pas parler à ______________________.
4. Presque ______________________ aime le chocolat.
5. Anne ne mange ____________, son ami Pierre mange ____________.

RAPPEL

LES ACCORDS

En français, il y a accord entre

le sujet et le verbe *ex: ils chantent*

l'article et le nom *ex: les amis*

l'adjectif et le nom *ex: les bonnes amies*

Aux temps composés, le participe passé s'accorde avec l'objet direct qui précède le verbe.

ex: nous nous sommes rencontrés

ex: Voici des oranges. Je les ai choisies pour toi.

ATTENTION aux EXCEPTIONS

Dans certaines expressions comme

« Vive les vacances » (signifiant « long live vacations»), il n'y a pas d'accord.

On dit : Vive les copains et vive les week-ends!

III. Vocabulaire

EXERCICE 4 *Remplissez les vides avec 6 des mots ci-dessous.*

Billets, la musique, oncle, ordinateur, vélo, organise, composter, portable, Lycée, rêver.

1. Cinq lycéens célèbrent la fin de leur dernière année au ______________________ Charlemagne.

2. Ils vont en Provence dans la maison d'un ________________ de Jean-Michel et de Ségolène.

3. Kip aime ____________.

4. Alex adore son ____________.

5. Mehdi ne peut pas vivre sans son ___________.

6. Les amis se rencontrent à la Gare de Lyon devant la machine à composter jaune à l'entrée du quai, pour ne pas oublier de valider leurs ______________.

EXERCICE 5

En groupe de deux, choisissez dans le chapitre les mots qui appartiennent aux 5 catégories suivantes. Mettez-les en commun par classe, groupe par groupe. Éliminez sur vos listes tous les mots qui sont annoncés. Le groupe gagnant EST CELUI QUI A LE PLUS GRAND NOMBRE de mots non mentionnés.

ex: GÉOGRAPHIE: la carte, nord, sud, est , le village, la Provence ...

VILLE: Paris, le métro, la foule, le bruit, la pollution, etc...

1. SPORTS et ACTIVITES:

2. ÉDUCATION:

3. ÉLECTRONIQUE:

4. VILLE:

5. CAMPAGNE:

EXERCICE 6 *Apprenez à reconnaître les bons amis. (Cognates)*

	(Past participles and adjectives)	(Participes passés et adjectifs)
	En anglais ---ed	En français ---é
1.	changed	changé
2.	fatigued	fatigué
3.	determined	déterminé
4.	amused	______________
5.	employed	______________
6.	pressed	______________
7.	adored	______________

8. ________________ vérifié
9. ________________ absorbé
10. ________________ récité
11. explored ________________
12. commanded ________________

ATTENTION

N'oubliez pas d'accorder les adjectifs formés ainsi.

ex: Les objets trouvés. Les étudiantes sont fatiguées. Je suis pressé(e). Nous sommes admirés.

EXERCICE 7 *Attachez un adjectif à chaque nom.*

1. Il y a des gens
2. Les vacances sont
3. Il y a des étudiants
4. L'école est
5. Les visages sont
6. Les cahiers sont
7. Les paysages sont
8. Le sourire de Ségo est
9. Les contrôles et les examens sont finis
10. La foule est

a. amusé
b. finis
c. brûlés
d. romantiques
e. fatiguée
f. libérés
g. finie
h. commencées
i. souriants
j. pressés

EXERCICE 8 *BONUS Remplissez les vides.*

En anglais ------ty	En français	la ------té = nom féminin
publicity		la publicité
1. liberty		la ________________
2. activity		l' ________________
3. necessity		________________
4. nationality		________________
5. beauty		________________
6. quantity		________________
7. utility		________________
8. prosperity		________________
9. charity		________________

ATTENTION

LES BONS AMIS se ressemblent en anglais et en français et signifient la même chose.

ex: envie, bouquet, nostalgie, groupe, adolescent, table, terrasse, etc....

LES FAUX AMIS se ressemblent en anglais et en français MAIS ont souvent des significations différentes ou multiples.

composter = fertiliser la terre avec des organismes naturels

mais aussi = faire un trou dans un billet de train pour le valider

une carte = une carte (postale) ou une carte (à jouer) ou une carte (géographique)

une boîte (*a box*) ou un club, une discothèque

une ombre (*shade*) ou (*shadow*)

un bureau (*a desk*) ou (*an office*)

EXERCICE 9 *Faites une liste de 10 bons amis utilisés dans le chapitre:*

1 ______________ 2 ______________ 3 ______________ 4 ______________

5 ______________ 6 ______________ 7 ______________ 8 ______________

9 ______________ 10 ______________

EXPRESSIONS IDIOMATIQUES

FAMILIER / ARGOT:	FORMEL / POLI / SOUTENU
Argot (familier)	
C'est à moi	= C'est mon tour (it's my turn)
Cool! (slang)	= Bien sûr, certainement, naturellement
T'inquiète	= ne t'inquiète pas, ne vous inquiétez pas

IV. Journal ou Blog

En trois ou quatre phrases, décrivez votre été idéal. Utilisez au moins quatre « bons amis » trouvés dans le chapitre.

V. En Français Sur Internet @

Prenez l'habitude de faire vos recherches sur Internet EN FRANÇAIS avec (http://www.google.fr)

Recherchez:

1. CHARLEMAGNE: http://cyberechos.creteil.iufm.fr/cyber8/Ailleurs/ecole/ecole.htm#Charlemagne

2. VAISON-LA-ROMAINE: http://www.vaison-la-romaine.com/

3. le TGV sur (http://www.google.fr)

Notez dans votre journal ou blog ce que vous avez appris sur Charlemagne et sur Vaison-la Romaine.

4. Que signifient les lettres TGV?

5. Écrivez les réponses dans votre journal ou votre blog.

VI. Dialogues en classe ou vidéos

Diviser la classe en groupes. Dans ces groupes, les étudiants choisissent leur personnage pour jouer leur rôle devant la classe ou faire une vidéo sur le chapitre.

Personnages: Les CINQ + la foule

Le canyoning: Vacances actives pour Alex et autres sportifs.

Vacances calmes au bord de l'eau pour Mehdi ou Ségolène.

PARIS-AVIGNON EN TGV

Faire d'une pierre deux coups.

I. Compréhension

EXERCICE 1 *Répondez aux 10 questions.*

1. Comment la mère de Ségo et de Jean-Michel conduit-elle? ______

2. Qui est le plus impulsif, Oncle Max ou sa sœur? ______

3. Qu'est-ce que Mehdi a recherché sur Internet? ______

4. Pourquoi la Beauce est-elle appelée le grenier de la France? ______

5. Pourquoi Ségo prend-elle des notes pendant les vacances? ______

6. Qui les attend à Avignon? ______

7. La femme de Guy est-elle française? ______

8. Pour qui vont-ils acheter un gâteau d'anniversaire? ______

9. Qu'est-ce qui se passe à Avignon en juillet? ______

10. Où ont-ils dîné ce soir-là? ______

II. Grammaire

A. Le Comparatif

plus................ que (+)	**moins............... que** (–)	**aussi............... que** (=)
BON: **meilleur que**	MAUVAIS: **pire que**	

B. Le Superlatif

le plus beau/ **la plus** belle	**le moins** joli/ **la moins** jolie
les plus beaux/ **les plus** belles	**les moins** jolis/ **les moins** jolies
BON: **le meilleur / la meilleure**	MAUVAIS: **le pire/ la pire**
les meilleurs/ les meilleures	**les pires / les pires**

ex: Quand on se marie en France, c'est pour le meilleur et pour le pire.

EXERCICE 2 *Remplissez les vides EN VOUS SERVANT D'UN COMPARATIF*

ex: (+) Ségo est plus grande que Kip.

1. (–) Kip ______________________ que Ségo.
2. (=) Mehdi ______________________ que Ségo.
3. (+) Jean-Michel et Alex ______________________ que Kip.

EXERCICE 3 *Remplissez les vides EN VOUS SERVANT D'UN SUPERLATIF*

ex: C'est la meilleure ou la pire phrase du livre?

1. (++) Kip est ______________________ musicienne.
2. (++) Alex est ______________________ cycliste.
3. (– –) Ségo est ______________________organisatrice.
4. (–) ou (+) La sonnerie du portable de Jean-Michel est ______________ du monde.

ATTENTION

Pour accompagner un verbe, on utilise BIEN, MIEUX et LE MIEUX.

ex. Le TGV sert mieux les voyageurs. Jean-Michel organise mieux que sa soeur.

III. Vocabulaire

VOCABULAIRE AUTOMOBILE

Noms: la portière, la vitre, le siège avant, le siège arrière, les phares, les roues, les pneus, l'accélérateur, les freins, le coffre.

Verbes: accélérer, s'arrêter, mettre le moteur en marche, ouvrir, démarrer, monter dans la voiture, garer (park), fermer la portière, ralentir (slow down), sortir de la voiture, s'asseoir, descendre / monter la vitre (window), prendre la clé.

EXERCICE 4 *EN ROUTE!*

A l'aide du vocabulaire automobile, classez les actions en ordre chronologique. Soyez logique!

1. J'ouvre la portière ______________________
2. ______________________
3. ______________________
4. ______________________
5. ______________________
6. ______________________
7. ______________________
8. ______________________
9. ______________________
10. ______________________
11. ______________________
12. ______________________
13. ______________________
14. et je n'oublie pas de prendre ma clé.

LES BONS AMIS

EXERCICE 5 *Trouvez 10 bons amis dans les 15 premières lignes du chapitre.*

1 ________ 2 ________ 3 ________ 4 ________

5 ________ 6 ________ 7 ________ 8 ________

9 ________ 10 ________

ATTENTION

N'OUBLIEZ PAS LES ADJECTIFS ET LES ACCORDS.

Beaucoup de **participes passés** sont utilisés comme **adjectifs.**

ex:	**fatigué**	**Le match de foot m'a fatigué**	**verbe au passé composé**
		Les joueurs sont fatigués aussi.	adjectif + accord
	fini	**Elle a fini ses devoirs**	**verbe au passé composé**
		Ses devoirs finis, Aline va faire du vélo.	adjectif + accord
	vendu	**On a vendu beaucoup de livres**	**verbe au passé composé**
		Les objets vendus sont envoyés par la poste.	
		*vendus = adjectif + accord	
		*sont envoyés = "envoyés" s'accorde avec "objects", sujet du verbe.	

EXERCICE 6 *Trouvez dans le chapitre 10 adjectifs venant d'un participe passé.*

1 ______ 2 ______ 3 ______ 4 ______

5 ______ 6 ______ 7 ______ 8 ______

9 ______ 10 ______

EXPRESSIONS IDIOMATIQUES

LE FRANÇAIS DE TOUS LES JOURS

C'est à moi	= It's mine OR = It's my turn
Quant à moi	= As for me / = As far as I'm concerned
Tiens, tiens!	= Well,well? surprise!
Non! Pas question! Jamais de la vie!	= No way!
Ça va sans dire! Cela va sans le dire! Bien sûr!	= Of course!
Génial!	= Super!
Pas mal!	= Not bad!
T'inquiète! (argot)	= Don't worry (familiar / slang)
Ne t'inquiète pas! (normal)	= Don't worry (normal)
Ne vous inquiétez pas! (poli)	= Don't worry (formal)

IV. Recherche Sur Internet @

EXERCICE 7 *Définissez en une phrase:*

1. un VTT: ______
2. une éolienne: ______
3. la Beauce: ______

V. Journal ou Blog

En 3 phrases, décrivez 3 choses que vous avez apprises dans ce chapitre.

______

______

______

VI. Dialogues en classe ou vidéos

Personnages: Les CINQ + Monsieur et Madame Moreau.

Diviser la classe en groupes. Dans ces groupes, les étudiants choisissent leur personnage pour jouer leur rôle devant la classe ou faire une vidéo sur le chapitre.

La Gare de Lyon: Départs vers le Sud

Le TGV traverse les plaines de la Beauce

Le Pont d'Avignon vu par Alex, le touriste artistique

Alex, le touriste actif

IL Y A UN PROBLÈME

Il n'y a pas de fumée sans feu.

I. Compréhension

EXERCICE 1 *VRAI OU FAUX – Corrigez les erreurs.*

1. Alex se lève tôt pour faire un tour et pour acheter des croissants. ____________________

2. Les spécialités de Madame Moreau sont les confitures et les finances. ____________________

3. Les amis apportent à Oncle Max sa serviette et un gâteau d'anniversaire. ____________________

4. On s'embrasse beaucoup en France. ____________________

5. La Beauce ressemble à la Provence. ____________________

6. Les amis entendent à la radio qu'il y a un incendie de forêt à Vaison-la-Romaine. ____________________

7. Le mistral est l'ami des pompiers. ____________________

8. Dans le car, il y a seulement des passagers locaux. ____________________

9. Alain Lagarde, le copain d'Oncle Max, les conduit chez Oncle Max dans sa camionnette blanche. ____________________

10. Max les attend chez lui. ____________________

II. Grammaire

A. Les Verbes Pronominaux

AU PRÉSENT	le sujet est souvent suivi du pronom personnel "complément d'objet direct (COD)".
ex:	*a.* **je m'***appelle Kip /* **elles se** *promènent*
AU PASSÉ	a. ils sont conjugués avec « **être** »
	b. s'accordent avec le sujet (identique au complément d'objet direct!)
	c. SAUF si le pronom est un complément d'**objet indirect.** (COI)
ex:	*b. elles* **se** *sont embrassées (OD) = ACCORD mais*
	c. ils **se (COI)** *sont donné des bisous.(donner à X = indirect) PAS D'ACCORD!*

AU PRÉSENT	AU PASSÉ COMPOSÉ
je me regarde	je me suis regardé(e)
tu te regardes	tu t'es regardé(e)
il, elle se regarde	il, elle s'est regardé(e)
nous nous regardons	nous nous sommes regardés (ées)
vous vous regardez	vous vous êtes regardés (ées)
ils, elles se regardent	ils, elles se sont regardés (ées)

Ils se sont regardés. Ils se sont embrassés.

EXERCICE 2 *Choisissez la forme du participe passé appropriée.*

1. Au petit déjeuner, les amis se sont _________. — régalé / régalées / régalés
2. Alex est _________ de faire la connaissance d'Alain. — enchanté / enchantée / enchantées
3. Kip s'est _________ de mâcher son chewing-gum. — arrêté / arrêtée / arrêtées
4. Le mistral s'est __________________ de souffler. — arrêté / arrêtée / arrêtés
5. Nous nous sommes ________ des pâtisseries. — offert / offerts / offertes
6. Les Cinq se sont __________ dans la voiture. — empilé / empilés / empilées
7. Ils se sont _______ la main. — serrés / serré / serrée.
8. Ségolène s'est ___________________ dans le car. — assis / assise / assises
9. Le car s'est _______ à la gare routière. — arrêté / arrêtée / arrêtées
10. Les Cinq se sont _________ dans leurs chambres. — installés / installé / installées

B. L'imparfait: Temps Du Passé (utilisé avec le passé composé)

Formation:

1) Verbes du 1er groupe (verbes en -er, sauf "aller"/ex: aimer).
Règle de formation: On enlève le "-er" de l'infinitif, et on le remplace par les terminaisons de l'imparfait:
"ais/ais/ait/ions/iez/aient".

2) Verbes du 2ème groupe (verbes en -ir qui font -issons à la 1pp du présent/ ex: finir).
Règle de formation: À la première personne du pluriel du présent, on enlève le "-ons", et on le remplace par les terminaisons de l'imparfait:
"ais/ais/ait/ions/iez/aient".

3) Verbes du 3ème groupe (tous les autres verbes/ ex: aller).
Règle de formation: Il n'existe aucune règle générale de formation pour les radicaux des verbes du 3ème groupe à l'imparfait. Par contre, les terminaisons sont les mêmes:
"ais/ais/ait/ions/iez/aient".

Utilisation: Actions répétées
Actions simultanées ou interrompues
Description: sentiments, paysages, personnes (background)

ex: Il jouait une Étude de Chopin et sa mère l'écoutait quand son père est entré dans le salon. Sa veste et son pantalon étaient couverts de boue et ses chaussures étaient noires.

EXERCICE 3 *Mettez les verbes en italiques à l'imparfait.*

Pendant les vacances, Ségolène et Jean-Michel allaient au grenier au moins deux fois par semaine. Ils (montent) ____________ au grenier, une lampe de poche à la main. Les marches de l'escalier (craquent) ___________. Ils se (souviennent) ___________ des nuits passées là-haut quand les adultes les (croient) _____________ au lit. Sur le mur, l'ancêtre les (regarde) _______________. Ils (décrochent) _____________ le tableau. Jean-Mi (ouvre) ________ la boîte nichée dans le mur, et Ségo (compose) _____ _______ quatre numéros secrets, Jean-Mi en (compose) _____________ encore trois. La boîte (s'ouvre) _______________. C'(est) _____________ le rituel.

C. Le Participe Présent

De l'anglais	au français
---- ing	---- ant
dancing	dansant
trembling	tremblant

Le participe présent

1. est formé en remplaçant la terminaison « **ons** » du verbe au présent par « **ant** ».

ex: **partons > partant**

Il y a 3 exceptions à la règle: **étant** (être), **ayant** (avoir) et **sachant** (savoir).

ex: **Ayant** *trois bébés, les parents ne dormaient pas beaucoup!*

2. il est employé à la forme verbale (V) et comme adjectif(A) avec un nom.

*ex: Se tourn***ant(V)** *vers la soupe* **fumante (A)***, il lui dit: « Je n'ai pas faim. »*
*Finiss***ant** *sa tasse de thé, Ségo dit: « J'ai sommeil. Au lit! »*

ATTENTION

Pas d'accord quand c'est un verbe (V) **Accord** avec le nom quand c'est un adjectif (A)

VERBES – **V**	EXPRESSIONS VERBALES – **V**	ADJECTIFS – **A**
(infinitif = V)	(participe présent = V)	(adjectif = A)
Fumer (to smoke)	smoking = fumant	des bols fumants
Trembler	trembling = tremblant	des mains tremblantes
Charmer	charming = charmant	une vieille dame charmante
Intéresser	interesting = intéressant	une histoire intéressante

EXERCICE 4 *Faites 10 phrases avec les verbes suivants au participe présent.*

descendre, s'approcher, se retrouver, donner, sortir, choisir, brûler, revenir, essayer, serrer.

ex: *En tremblant de peur, la charmante jeune fille est entrée dans le salon.*

1. ______
2. ______
3. ______
4. ______
5. ______
6. ______
7. ______
8. ______
9. ______
10. ______

EXERCICE 5 *Verbes (V) ou Adjectifs (A) Marquez les mots en italiques d'un V ou d'un A.*

Une *charmante* vieille dame est assise, *fumant* une cigarette à la terrasse d'un café, une tasse *fumante* devant elle. Le serveur lui explique *en souriant* que fumer n'est pas bon pour la santé. «Merci, c'est la dernière.» dit-elle, *laissant* un billet de 10 euros sur la table. Cette histoire est morale mais pas très *intéressante*.

III. Vocabulaire

ATTENTION

BONS et FAUX AMIS

Une voiture	= une auto (a car)
Un autobus	= un bus pour les transports publics en ville, ou entre la ville et la banlieue
Un car	(a coach) pour touristes ou à la campagne, pour les longues distances
Une serviette	(a napkin, a towel or an attache case)
Un vol	(a theft or a flight)

BONUS

LES FAMILLES DE MOTS

Apprenez à reconnaître la signification des mots par leur racine latine: agro / alim / vin / fum

Vin > vigne, vignoble, vinicole, viniculture

Fum > fumer, fumée, fumeur, fumant, fumé

Alim > aliment, alimenter, alimentaire, alimentation

Agro > agricole, agriculteur, agriculture

EXPRESSIONS IDIOMATIQUES

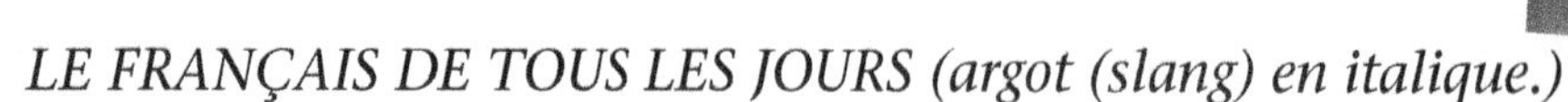

LE FRANÇAIS DE TOUS LES JOURS (argot (slang) en italique.)

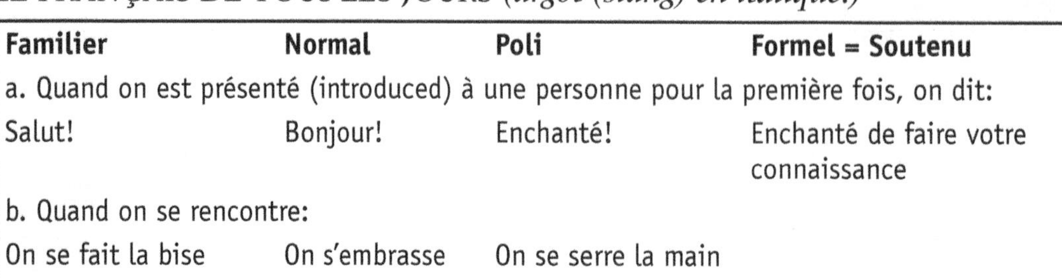

Familier	Normal	Poli	Formel = Soutenu
a. Quand on est présenté (introduced) à une personne pour la première fois, on dit:			
Salut!	Bonjour!	Enchanté!	Enchanté de faire votre connaissance
b. Quand on se rencontre:			
On se fait la bise	On s'embrasse	On se serre la main	

IV. Journal ou Blog

Répondez aux questions:

Où veux-tu aller en vacances en France? Pourquoi as-tu choisi cet endroit? Que veux-tu y faire? Qu'est-ce qui t'intéresse le plus: l'histoire ou la géographie?

V. Recherche Sur Internet @

Découvrez la géographie de la France, ses régions et ses cultures. Faites une carte de France pour votre journal ou blog. Vous allez la remplir tout au long des aventures des CINQ et trouver les endroits par où les Cinq sont passés depuis le début de leur voyage. Le NORD, le SUD, le MIDI et le CENTRE.

VI. Dialogues en classe ou vidéos

Personnages: Les CINQ + Alain Lagarde

Azay-le-Rideau (1518), un des plus jolis châteaux sur la Loire en Touraine

es Alpes

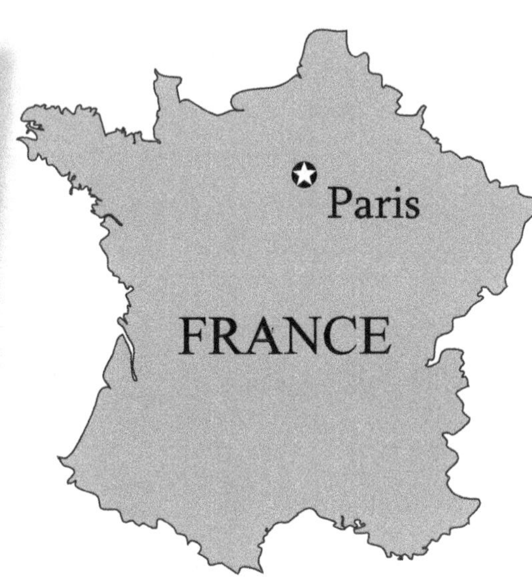

La Maison d'Oncle Max en Provence

La Riviera / Côte d'Azur

OÙ EST ONCLE MAX

Rien ne pèse tant qu'un secret – *Jean de La Fontaine*

I. Compréhension

EXERCICE 1 *Répondez à chacune des propositions.*

Si votre réponse est "oui", écrivez: Oui, il y en a.

Si votre réponse est "non", rectifiez-la.

ex: Non, il n'y a **pas de**........, *mais il y a* **des/une/un** ....

1. Il y a des collines, une forêt et des champs près de la maison d'Oncle Max._______________

2. Il y a des hamburgers pour les Cinq. _______________

3. Il y a aussi une tarte aux pommes. _______________

4. Il y a souvent des vols sur les sites gallo-romains. _______________

5. Il y a un coffre-fort et un fantôme au grenier. _______________

6. Il n'y a rien à l'intérieur du coffre. _______________

7. Il y a une statuette sur la cheminée. _______________

8. Il y a de vieux journaux dans la serviette. _______________

9. Il y a deux chiens derrière les arbres. _______________

II. Grammaire

A. Les Adjectifs et Les Accords

1. Les adjectifs s'accordent avec les noms qu'ils qualifient.

   ex: les cerises rouges, les vignes vertes, les collines boisées, les pains sont dorés.

2. MAIS il n'y a pas d'accord quand la couleur est le nom d'un fruit ou d'une fleur, ou s'il est qualifié: clair, foncé (dark), vif (bright), pâle. Exceptions: mauve, écarlate, fauve, rose and pourpre.

   ex: les abricots sont abricot, les tuiles orange, la jupe lilas, les voitures gris foncé et les robes bleu clair.

3. Notez Bien. Les adjectifs **petit, grand, beau, joli, bon, mauvais, gros, long, court, jeune, nouveau, vieux, ancien, et autre** précèdent le plus souvent le nom.

   ex: la grosse camionnette noire et la petite camionnette vert foncé roulent trop vite.

EXERCICE 2

Décrivez la table d'anniversaire avec cinq adjectifs du groupe 1 (see above), cinq adjectifs de couleur du groupe 2 (see above) et cinq du groupe 3 (see above).

La grande table marron est couverte d'une énorme nappe (tablecloth) multicolore. Il y a ______________________________

____

____

____

____

____

____

____

____

B. L'Impératif

L'impératif est le plus souvent utilisé pour commander. Très souvent, le verbe se conjugue comme au présent. Il n'y a pas de sujet.

ex:	*(tu)*	*(nous)*	*(vous)*
	Finis!	*Finissons!*	*Finissez!*
	Prends!	*Prenons!*	*Prenez!*

ATTENTION

À la deuxième personne (tu) il n'y a pas de "s" avec les verbes en —er.

ex: Mange! Mangeons! Mangez!

ATTENTION

Lorsqu'un verbe pronominal est conjugué à l'impératif, le pronom complément se place après le verbe, sauf à la forme négative.

ex:	*Lève-toi!*	*Ne te lève pas!*
	Asseyons-nous!	Ne nous asseyons pas!
	Régalez-vous!	Ne vous régalez pas!

EXERCICE 3 *Mettez les phrases négatives à l'affirmative et les phrases affirmatives au négatif.*

ex:	*Ne mangez pas de crudités!*	*Mangez des crudités!*
	Levez-vous!	*Ne vous levez pas!*

1. Réveille-toi! ______________________
2. Ne vous asseyez pas à table! ______________________
3. Régalons-nous! ______________________
4. Essaie mes confitures! ______________________
5. N'oubliez pas la serviette! ______________________
6. Entassons-nous dans la voiture! ______________________
7. Va chercher le gâteau dans le frigo! ______________________
8. Dites-moi laquelle est la meilleure. ______________________
9. Ne m'excusez pas! ______________________

EXERCICE 4 *Mettez les verbes au singulier au pluriel et les verbes au pluriel au singulier.*

ex:	*écoutons!*	*écoute!*
	lave-toi!	*lavez-vous!*
1.	Venez!	______________
2.	Appelle-moi!	______________
3.	Regarde!	______________
4.	Ne t'inquiète pas!	______________
5.	Vas-y!	______________
6.	Dépêchez-vous!	______________
7.	Sors!	______________
8.	Sachons-le!	______________
9.	Ne vous excusez pas!	______________
10.	Téléphone-lui	______________

EXERCICE 5

A. Mettez à l'impératif.

Expliquez à Ségo et à Jean-Mi comment ouvrir la boîte secrète.

«D'abord, (monter) __________ tous les deux au grenier. (Prendre) __________ une lampe de poche. (Décrocher) _________ le portrait de l'ancêtre. Jean-Mi, (exposer) ___________ la boîte et (composer) ___________ sept numéros secrets pour l'ouvrir. Ségo, (déposer) ____________ l'enveloppe jaune et (fermer) __________ la boîte. (Remettre) ____________ le portrait en place.

(Descendre) _________ tous les deux, et (mettre) ________ les pages de sports du journal dans la serviette. Et toi, Ségo, (déposer) ___________ la serviette à gauche de la cheminée.»

Le portrait de l'ancêtre d'Oncle Max

B. Trouvez deux erreurs en comparant ce texte au texte original.

1.____

2. ____

Le grenier d'Oncle Max

III. Vocabulaire

(L') Informatique	= (nom) computer science
	= (adjectif) qui se rapporte aux ordinateurs.
(L') Électronique	= (nom) electronics et (adjectif) electronic
(LE) Numérique	= digital (nom et adjectif)
le portable	= le téléphone portable
le texto	= text message
la sonnerie	= ring tone
l'ordinateur = l'ordi (familier)	= computer
l'ordinateur portable	= laptop
la souris	= mouse
le clavier	= keyboard
la touche	= key
le chargeur	= charger
l'imprimante	= printer
le logiciel	= software
le matériel	= hardware
l'Internet (sur Internet)	= Internet / on the Internet
la toile	= Web
la tablette numérique	= iPad

Les outils numériques nécessaires pour tous les informaticiens et tous les étudiants du monde.

le iPod	= iPod
les écouteurs	= headphones
l'appareil-photo numérique	= digital camera
le flash	= flash
brancher	= to plug in
la prise	= outlet
le virus informatique	= computer virus
être en ligne	= to be online
télécharger	= download, upload

EXERCICE 6 *Reliez par un trait les éléments qui vont ensemble: (synonymes ou antonymes)*

1. iPod	a. la souris
2. le clavier	b. le papier
3. brancher	c. la toile
4. l'imprimante	d. la sonnerie
5. le chargeur	e. la touche
6. logiciel	f. numérique
7. le portable	g. les écouteurs
8. l'appareil-photo	h. la prise
9. l'Internet	i. matériel
10. l'ordinateur	j. débrancher

BONUS

en anglais	en français	en anglais et en français
-----ic	-----ique	-----able
MÊME ORTHOGRAPHE DANS LES DEUX LANGUES		
generic	générique	sociable
genetic	génétique	durable
poetic	poétique	viable
heroic	héroïque	capable
pathetic	pathétique	acceptable
comic	comique	portable
chronic	chronique	(in)excusable
analytic	analytique	
athlethic	athlétique	
politic	politique	
dynamic	dynamique	
ORTHOGRAPHES DIFFERENTES		
(un)pronounceable	(im)prononçable	

(un)controllable	(in)contrôlable
feasable	faisable
comfortable	confortable

IV. Journal ou Blog

Avec quelles sortes de copain(s), copine(s) préférez-vous voyager? Décrivez 2 personnes: leur caractère, leur apparence et les couleurs de leurs vêtements avec un maximum d'adjectifs en ---ique, ---ant, et ---able

V. Recherche Sur Internet @

Définissez chacun des trois sujets que vous écrirez dans votre journal ou blog.

1. LA FRANCE GALLO-ROMAINE
2. LA PROVENCE
3. LE MISTRAL

VI. Dialogues en classe ou vidéos

Personnages: Les CINQ

LA CAMIONNETTE MYSTÉRIEUSE

Paris appartient à ceux qui se lèvent tôt.

I. Compréhension

Le feu de forêt

EXERCICE 1 *Répondez aux questions suivantes en une ou deux phrases claires et détaillées.*

1. Les Cinq sont-ils tous dynamiques le matin? ____________________

____

2. Kip et Mehdi proposent-ils d'aider Alain à cultiver son champ? ____________________

____

____

3. Qui est Astérix? (Vous pouvez trouver la réponse sur Internet à http://www.google.fr) (Cliquer Astérix, cliquer le Site officiel, cliquer Personnages) ____________________

____

____

4. Qui est Toutatis? (Vous pouvez trouver la réponse sur Internet à http://www.google.fr)

____

____

5. Qu'est-ce qu'Alex a vu au champ le matin? ____________________

____

____

6. Qui reconnaît-on sur les photos? ____________________

____

____

Les voleurs au champ du Fou

7. Qu'ont -ils fait? ______________________________

____

8. Qui appelle-t-on d'abord? ______________________________

G

II. Grammaire

A. Le Gérondif (Emploi du participe présent: voir le chapitre 3)

Le gérondif est le **participe présent** (avec la terminaison ----- ant) précédé du mot **en.** Il exprime une action qui se déroule en même temps qu'une autre action exprimée dans la même phrase.

ex: L'appétit vient **en mangeant** = *Your appetite increases* **as you eat.**

Nous dansions **en chantant** = *we were dancing* **while singing, as we were singing.**

Ils sont tombés **en finissant la chanson** = *They fell* **as they were finishing** *the song.*

Kip écoute son iPod **en travaillant** = *Kip listens to her iPod* **as she works.**

*travailler: nous travaillons ⟶ en travaillant

*salir: nous salissons ⟶ en salissant

EXERCICE 2 *Dans le chapitre 5, trouvez:*

5 exemples de gérondifs (en + verbe finissant par ...ant)

1. __________ 2. __________ 3. __________

4. __________ 5. __________

et 2 adjectifs finissant par ...ant

1. __________ 2. __________

B. Les Adverbes (Bonus)

FORMATION:

en anglais:	terminaison en -ly	en français:	terminaison en --- ment
	adjectif + ly		adjectif au féminin + ment
⟶	correctly	⟶	correctement
	promptly		promptement

En français, pour former un adverbe, on prend un adjectif, on le met au féminin, et on ajoute _____ment, SAUF si l'adjectif se termine par une voyelle. Ex: inutilement, poliment, interminablement, indéfiniment

EXERCICE 3 *Changez ces adjectifs en adverbes.*

ex: il travaille très (sérieux) sérieusement

1. pratique __________ 2. libre __________ 3. attentif __________

4. agréable __________ 5. logique __________ 6. infini __________

7. terrible __________ 8. lourd __________ 9. cruel __________

10. sage __________ 11. définitif __________ 12. réel __________

EXCEPTIONS:

Quand les adjectifs sont terminés par ---ant, on écrit --- amment *ex: élégamment*
ou par ---ent, on écrit --- emment *ex: récemment*

EXERCICE 4 *Changez ces adjectifs en adverbes.*

1. brillant ____________ 2. intelligent ______________ 3. intellectuel ________________

4. certain ____________ 5. propre _________________ 6. savant ___________________

EXERCICE 5 *Dans le chapitre 1, trouvez 5 adverbes et l'adjectif dont chacun dérive.*

1. ________________ ________________ 2. ____________________ ________________

3. ________________ ________________ 4. ____________________ ________________

5. ________________ ________________

III. Vocabulaire

A. Les Fouilles Archéologiques

Fouiller = to dig / to search la fouille / les fouilles = dig(s) un fouillis = a mess

EXERCICE 6

A. Reliez d'un trait les verbes avec la fin des phrases; B. Mettez-les en ordre chronologique (I) (II) (III) etc.

A.	
1. On creuse	a. les trésors.
2. On couvre	b. les vestiges gallo-romains.
3. On détecte	c. les pierres dans la camionnette.
4. On range	d. les trous.
5. On met	e. avec une pelle.
6. On déterre	f. les objets dans un tiroir.
7. On nettoie	g. l'endroit des fouilles.
8. On identifie	h. avec un pinceau.

B. I: __________ II: __________ III: __________

IV: __________ V: __________ VI: __________

VII: __________ VIII: __________

Trésors du Musée Vesunna à Périgueux. A gauche, la statuette d'une déesse gallo-romaine, un buste, et des fragments en céramique. A droite, quelques petits personnages en bronze.

Une pelle, un rateau et une houe pour les archéologues amateurs

B. Les Expressions De Tous Les Jours

ARGOT et FAMILIER	COURANT	POLI / RESPECTUEUX
Bof!	Comme-ci, comme-ça!	Cela/ça n'a pas d'importance.
Ben oui!	Mais oui!	Certainement! Bien sûr!
Cool!	Formidable! Super!	Excellent! Merveilleux!
C'est pas possible!	Ce n'est pas posssible!	C'est incroyable!
C'est trop!	C'est impossible	Je n'en crois pas mes oreilles!

IV. Journal ou Blog

Recherche sur Internet @ L'histoire de France.

1. Recherchez les mots suivants et définissez-les dans votre journal ou votre blog en quelques phrases.

    a. ASTÉRIX. Quel est votre personnage favori? Pourquoi?

    b. LA GAULE CELTIQUE

    c. JULES CÉSAR

    d. LA GAULE ROMAINE

    e. CHARLEMAGNE

    f. LA GAULE

2. Trouvez des prototypes de ligne du temps (aussi appelée frise chronologique) sur Internet. Dessinez la *vôtre* avec les époques b/, d/, et f/, leurs dates et leurs définitions dans votre journal ou blog.

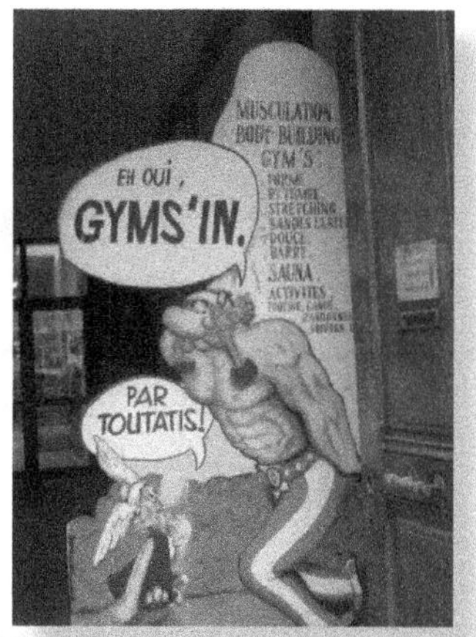

ASTÉRIX: Héros de bande dessinée / BD (= comics). Ses aventures se passent dans la Gaule dominée par les Romains, et occupée par les soldats de Jules César (entre 52 et 44 av. J.-C.)". Rebelles, inventifs et combatifs, Astérix et son copain Obélix sont aimés de tous en France.

ATTENTION

av. J.-C. = avant Jésus Christ = (BC)	*ex: la Gaule celtique: 750 av. J.-C.*
On l'écrit aussi avec le signe «-»	*ex: la Gaule romaine: – 52*

V. Dialogues en classe ou vidéos

Personnages: Les CINQ + Alain Lagarde.

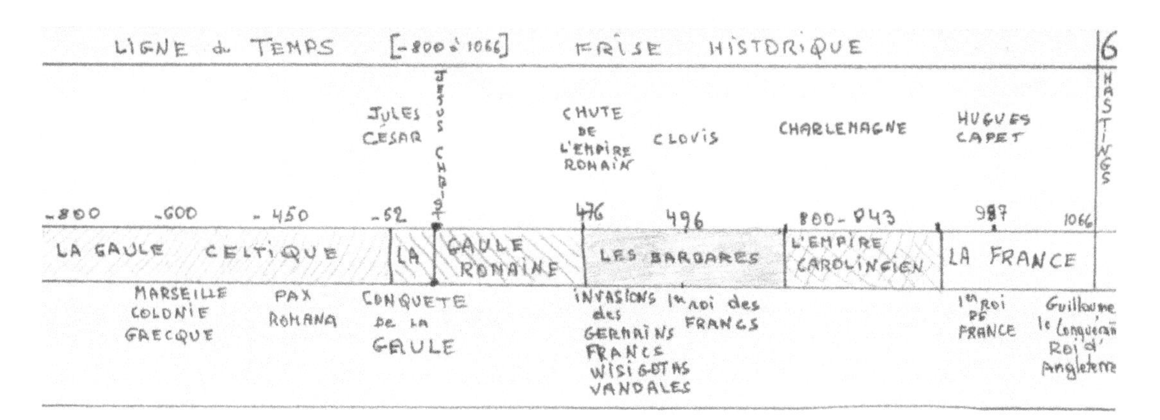

L'Histoire de France vue et dessinée par Ségolène dans son journal.

CHAPITRE 6

ACTIVITÉS

LES VISITEURS

Il faut cultiver son jardin — *Voltaire*

I. Compréhension

EXERCICE 1 *VRAI OU FAUX – Corrigez les erreurs.*

1. Le studio d'Oncle Max est propre et bien rangé. ______________________

____

2. Les voleurs sont partis seulement avec les plans des fouilles. ______________________

____

3. Astérix est le héros de bandes dessinées qui ont beaucoup de succès en France.

____

4. Les Cinq font des fouilles archéologiques au champ du Fou. ______________________

____

5. Ils remplissent tous les trous faits par les bandits. ______________________

____

6. Kip fait la vaisselle ______________________

____

7. Kip et Jean-Mi trouvent des preuves laissées par les voleurs à l'entrée de la forêt.

____

8. Le mistral a compliqué la situation. ______________________

____

9. Dans son journal, Ségolène compare la situation à un puzzle. ______________________

____

____

10. Les voleurs ont volé la serviette d'Oncle Max. ______________________

____

____

II. Grammaire

A. Les pronoms personnels

Remplacent un/des nom(s) qui désigne(nt) une/des chose(s) ou une/des personne(s).

COMPLÉMENTS D'OBJET DIRECT (COD) — ex: j'aime *les fleurs.* — je **les** aime.

COMPLÉMENTS D'OBJET INDIRECT (COI) — ex: il parle *à Théo.* — il **lui** parle.

direct et indirect		direct		indirect	
S	PL	S	PL	S	PL
me	nous	le	les		
te	vous	la	les	lui	leur
se	se				

EXERCICE 2

Dans les phrases suivantes, mettez les pronoms personnels pluriels au singulier et les pronoms personnels singuliers au pluriel.

ex: il **lui** *parle* — *il* **leur** *parle*
elle **leur** *parle* — *elle* **lui** *parle*

1. Ça va leur faire plaisir. ______________________
2. Il nous manque quelques pièces du puzzle. ______________________
3. Il faut les arrêter. ______________________
4. Tu lui demandes s'il a les plans? ______________________
5. Je vais vous chercher. ______________________
6. Alain le vend à plus haut prix. ______________________
7. On va te faire des posters. ______________________
8. Kip lui présente un petit objet doré. ______________________

EXERCICE 3

Répondez aux questions suivantes en remplaçant les compléments directs et indirects par des pronoms.

ex: Tu donnes la main à Paul? Oui, je la lui donne. Non, je ne la lui donne pas.

1. Comment Oncle Max appelle-t-il son ordinateur? ______________________
2. Les hommes ont-ils pris les plans du Champ du Fou? ______________________
3. Medhi envoie-t-il les photos à Oncle Max? ______________________
4. Alain vend-il son vin «bio» aux Américains? ______________________
5. Les bandits ont-ils chargé les pierres pendant la nuit? ______________________

B. Les Temps Du Passé. Révision Du Passé Composé.

1. La plupart des verbes forment leur passé composé avec l'auxilliaire **avoir** (en général, pas d'accord du participe passé sauf si l'objet direct précède le verbe).

ex: **Nous avons travaillé**

ex: **Elle les a perdu(e)s**

2. Sauf les verbes pronominaux qui forment leur participe passé avec l'auxilliaire **être** (accord du participe passé l'objet direct sauf s'il est placé après le verbe).

ex: **Nous nous sommes levés**

ex: **Ils se sont envoyé un texto**

3. Et sauf les verbes devenir, naître, mourir, ainsi que les verbes de mouvement: aller, arriver, venir, partir, entrer, sortir, monter, descendre, revenir, rester, retourner et tomber (forment leur passé composé avec l'auxiliaire être, et donc accord du participe passé avec le sujet du verbe).

ex: **Nous sommes parti(e)s**

EXERCICE 4 *Mettez le journal de Ségolène au passé (il y a des imparfaits).*

1/ Les voleurs veulent des trésors gallo-romains et savent où ils sont, grâce aux plans d'Oncle Max qu'ils ont volés dans l'armoire du studio.
2/ Ils provoquent un feu de forêt l'après-midi pour détourner l'attention des autorités. Mais le mistral rend le feu incontrôlable.
3/ Les pompiers arrivent. Les voleurs s'échappent et négligent de couvrir leurs traces. Ils laissent donc des preuves et des papiers envolés dans les arbres.
4/ Ils reviennent tôt le matin pour charger les pierres et disparaissent à toute vitesse.
5/ Ils passent par la maison quand nous sommes au champ du Fou, et fouillent la serviette.
6/ Où sont-ils, et que veulent-ils de plus? Et où donc est Oncle Max?

III. Vocabulaire

Le Vocabulaire – Écologique

Notez tous les bons amis!

L'Écologie	**> un écosystème / écologique**	
un produit bio	> une agriculture biologique	bio = organic / health food
la biomasse	> la biodiversité / la biodégradation / biodégradable	
un engrais naturel		= natural fertilizer
un engrais chimique		= chemical fertilizer
un OGM	> Organisme Génétiquement Modifié	= GMO
un herbicide		
un pesticide		
une ressource naturelle		= natural resource
le recyclage	> recyclable / recycler	
le développement durable		= sustainable development
le carburant / l'essence		= fuel / gas
le pétrole (raffiné)	> pétrolière/petroleum	= oil

Les Énergies Renouvelables = renewable energies

Solaire / le soleil / les panneaux solaires / photovoltaïques

Géothermique / la chaleur terrestre

Nucléaire / l'atome / la centrale nucléaire

Éolienne / le vent / les éoliennes

Hydraulique / l'eau / l'usine hydroélectrique / les barrages

Le poster préféré de Kip

Attention

FAUX AMI:

résumer en français = to summarize, to sum up

to resume en anglais = continuer, recommencer

EXERCICE 5

Faites sur une feuille de papier une liste de tous les bons amis que vouse trouvez dans le chapitre 6. En classe, chaque élève lira sa liste et tout le monde éliminera les mots annoncés. L'élève qui aura le plus de mots restant sur sa liste sera le GAGNANT (winner).

IV. Journal ou Blog

Recherche sur Internet @ La Géographie de France.

Recherchez les régions mention nées par les Cinq ainsi que les ressources agricoles disponibles là où les Cinq sont passés depuis le début de leur voyage: Le NORD, LA PROVENCE, et le CENTRE.

D'abord, écrivez un court résumé de vos découvertes dans votre journal ou votre blog.

Ensuite, complétez VOTRE carte de France que vous allez remplir tout au long des aventures des CINQ.

V. Dialogues en classe ou vidéos

Personnages: Les CINQ + Alain Lagarde.

INCIDENT AU PORT DE TOULON

Un malheur ne vient jamais seul. — *François Rabelais*

I. Compréhension

EXERCICE 1 *Connectez le début de chaque phrase avec la fin qui convient.*

1. Dans sa Renault, Max observe	a. dans une mare de sang.
2. Quand il se réveille	b. est au fond du sac.
3. Le policier	c. est en contact avec la police canadienne.
4. Les bandits	d. deux voitures de police.
5. Max est couché sur le quai	e. il a faim.
6. La police française	f. ne sont pas très intelligents.
7. Le briquet	g. donne ses affaires à Max.

EXERCICE 2 *Remplissez les vides avec les mots suivants.*

fêlée / se retrouve / la formule / les briquets / ont disparu / sur pied / explose / s'inquiète.

La voiture de Max ______________ dans le parking. Il ____________ à l'hôpital avec une jambe ________________. Là, il reçoit un message des bandits qui demandent ________________. Les lettres CCC se trouvent sur le yacht, et aussi sur ____________. Les bandits ______________. Max ______________ pour les Cinq et veut les appeler. Le jour suivant, ils vont tous mettre une stratégie __________.

EXERCICE 3 *VRAI OU FAUX et corrigez 3 fautes de grammaire.*

A. Corrigez les erreurs en disant ce qui s'est vraiment passé.

B. Il y a trois fautes de grammaire dans le texte suivant. Corrigez-les.

1. Max écoute la radio pour s'endormir. ______________________________

____

2. Le briquet appartient aux policier. ______________________________

____

3. Les bandits veulent tuer Max et les Cinq. ______________________________

____

4. Les bandits sont des professionnels. ______________________________

____

5. Il y a deux infirmières qui s'occupent de Max. ______________________________

____

6. Max a la jambe cassée. ______________________________

____

7. Les policiers va faire le point avec Max le jour suivant. ______________________________

____

8. Max manges du saumon fumé dans sa voiture. ______________________________

____

II. Grammaire

Les Prépositions De Lieu

À et DE: à + ville *ex: Il habite à Paris*	de + ville *Il vient d'Avignon*
dans / devant / derrière / sur / sous / vers / entre /	+ le, la, l', les, un, une, des
près / loin / au centre / au milieu / au bord / en face / en haut /	+ de, du, de la, de l', des
au dessus / au fond / en dehors / le long, à côté /	+ de, du, de la, de l', des

ex: Max habite à Vaison-la-Romaine **dans** *une jolie maison* **vers** *Avignon, pas* **loin d'***Orange.*

Il y a les lettres CCC s**ur** le briquet trouvé **près de la** forêt et aussi **sur** l'autre briquet trouvé **à côté de** la voiture d'Oncle Max.

EXERCICE 4 *Remplissez les trous avec les prépositions qui conviennent.*

Attention aux prépositions + articles!

devant / à l'entrée / dans / à côté / sur / au fond / à / près / au bord /

1. Max est ______________________ Toulon.
2. Le parking se trouve ______________________ quai.
3. Il y a une voiture de police ______________________ le café du port
4. et une autre ______________________ parking.
5. Max s'est trouvé couché ________________ sa voiture ________________ le sol.
6. Les fleurs sont ______________________ la fenêtre de la chambre d' hôpital.
7. Il y a une carte ________________ les fleurs.
8. Le briquet des bandits est ________________ sac en plastique.

III. Vocabulaire

A. La Voiture

EXERCICE 5 *Connectez les 2 portions de chaque phrase.*

1. On entre et on sort
2. On s'assied
3. On gare
4. On conduit

a. avec le volant
b. par la portière
c. sur le siège avant
d. les cars de touristes dans un parking spécial

B. Le Français: Familier et Formel

Très FAMILIER	Plus FORMEL / SOUTENU
Tu, t '	Vous
Tu nous donnes la formule	Donnez-nous la formule
T'es mort	Vous serez tués / nous vous tuerons
On t'appelle	Nous vous appellerons / on vous appellera

EXERCICE 6 *Dans le texte, trouvez 2 exemples de style familier et 3 exemples de style formel.*

Familier

____

____

Formel

____

____

____

IV. Journal ou Blog

Résumez les événements du chapitre en quelques phrases.

Recherche sur Internet @ (google.fr) **TOULON:** la ville, le port et son importance.

Écrivez dans votre journal ou votre blog 3 choses que vous avez apprises sur Toulon.

N'oubliez pas d'ajouter Toulon sur votre carte de France.

V. Dialogues en classe ou vidéos

Personnages: Oncle Max + l'infirmière anonyme + un policier.

LES PIÈCES DU PUZZLE

Qui cherche trouve.

I. Compréhension et Vocabulaire

Exercice sur les personnages – L'art de la description

EXERCICE 1 *Pour chaque personnage, choisissez dans les quatre listes suivantes.*

1. Le type de nom, 2. L'occupation 3. Le symbole ou signe distinctif, et 4. Deux adjectifs qui définissent leur personnalité.

Vous pouvez les répéter et les mettre au féminin.

(---eux = ---euse / ---eur = ---euse / ---teur = ---trice / ---if = ---ive)

1. NOMS: nom à la mode, nom «jeu de mots» (pun like Coco Pernic > Nicolas Copernic), nom classique, nom composé (Jean-Paul, Marie-Cécile), surnom (Nico pour Nicolas et Caro pour Caroline), nom d'origine étrangère (foreign like Mamadou, Igor, Tuan, MeiMei)

ex: Kevin, Cristel, Lucy, Colin = noms d'origine anglo-saxonne à la mode.

Ali, Aicha, Mehdi, Yasmine = noms d'origine maghrébine = algérienne, tunisienne, marocaine.

2. OCCUPATIONS: étudiant en informatique / homme d'affaires / lycéen / étudiant en architecture / marin.

3. SYMBOLES: un journal / un ordinateur / un yacht / la mer / une carte de France / l'architecture/ la musique / un vélo / l'informatique / les vestiges gallo-romains.

4. ADJECTIFS: organisé, malhonnête, psychologue, rêveur, cool, sportif, curieux, dangereux, mystérieux, canadien, calme, français, futé (swift), casse-cou, observateur, suspect, pas doué, sérieux, charmant, aventureux.

Exemple:

ONCLE MAX:

1. *son surnom:* *Max (pour Maximilien)*
2. *sa profession:* *archéologue, chercheur et inventeur*
3. *ses symboles:* *les vestiges gallo-romains, et la formule*
4. *sa personnalité:* *génial, généreux, drôle et sympathique*

JEAN-MICHEL:

1. ______________________________
2. ______________________________
3. ______________________________
4. ______________________________

SÉGO:

1. ____________________

2. ____________________

3. ____________________

4. ____________________

KIP:

1. ____________________

2. ____________________

3. ____________________

4. ____________________

MEHDI:

1. ____________________

2. ____________________

3. ____________________

4. ____________________

ALEX:

1. ____________________

2. ____________________

3. ____________________

4. ____________________

CRADOS: (*crado = sale en argot*)

1. ____________________

2. ____________________

3. ____________________

4. ____________________

PADUGATO: (*ce n'est « pas du gâteau»* = c'est difficile)

1. ____________________

2. ____________________

3. ____________________

4. ____________________

ÉRIC:

1. ____________________

2. ____________________

3. ____________________

4. ____________________

MARC:

1. ______________________________

2. ______________________________

3. ______________________________

4. ______________________________

EXERCICE 2 *Choisissez un(e) partenaire et discutez vos choix. La preuve est dans le texte.*

II. Grammaire – Le Passé (voir Chapitre 6)

A. Révision de la formation du participe passé

	Infinitif présent	Participe passét	
É	_______ er	_____________ é	mangé
I	_______ i	_____________ i	choisi
U	_______ re	_____________ u	rendu
	_______ oir	_____________ u	voulu
	_______ oire	_____________ u	bu
IT	_______ ire	_____________ it	écrit
	_______ uire	_____________ uit	conduit
	_______ aire	_____________ ait	fait
	_______ indre	_____________ int	peint / joint / craint

Les participes passés irréguliers					
infinitif présent	**participe passé**	**infinitif présent**	**participe passé**	**infinitif présent**	**participe passé**
Avoir	eu	Savoir	su	Devoir	dû
Recevoir	reçu	Rire	ri	Mettre	mis
Connaître	connu	Disparaître	disparu	Souffrir	souffert
Ouvrir	ouvert	Offrir	offert	Asseoir	assis
Mourir	mort	Naître	né		

B. Les temps du passé

1. Le passé composé

Être ou avoir au présent + participe passé *ex: «Je suis venu, j'ai vu, j'ai vaincu.» Jules César.*

ATTENTION

AU NÉGATIF: Je ne suis pas venu, je n'ai rien vu, je n'ai pas vaincu!

2. L'Imparfait:

je/tu ---ais il, elle, on ---ait nous---ions vous ---iez ils, elles ---aient

ex: «je venais, je voyais, je vainquais»

3. Plus-Que-Parfait

je/tu avais + participe passé   ou   je/tu étais + participe passé

ex: «J'étais venu, j'avais vu, j'avais vaincu.»

Le plus-que-parfait est le passé du passé, ce qui s'est passé avant le passé.

ex: Nous attendions Max, deux trains sont arrivés et repartis. Il nous a appelés pour nous dire qu'il **avait raté** *son train.*

EXERCICE 3 *Racontez ce qui s'est passé comme si c'était il y a un mois.*

Mettez ces phrases à l'imparfait, au plus-que-parfait ou au passé composé, selon le cas.

ex: «À nous quatre, nous avions accumulé une pile d'informations. Nous avons reconstitué les événements en les classant par ordre chronologique et les avons mis en commun. Tout le monde y voyait plus clair».

Les jeunes voyous (créer) _______________ une diversion. Je me (retrouver) ____________ dans un lit d'hôpital. La camionnette (disparaître) _________________ et le yacht (partir) ____________________ avec le butin. D'abord, les policiers (croire) _____________ que c' (être) __________________ facile, mais quand ils (voir) ________________ que les voyous (emmener) _________________ des pierres et de la terre, ils (ne plus rien comprendre) _______________________. Oncle Max (devoir) ________________ leur expliquer pourquoi Crados et Padugato (vouloir) _______________la formule.

III. Vocabulaire

A. Policier

La police (en général)	un policier = un agent de police	
Un vol	un voleur	voler
Une prison	un prisonnier	emprisonner
Un(e) suspect(e)	suspect(e) (adj)	suspecter

Mettre en observation / espionner / suivre / questionner / arrêter / tenir / garder à l'oeil

Un voyou / un gangster / un bandit / un malfaiteur

B. Les mots en "O" comme dans "métro, boulot, dodo"".

Les Français aiment abréger les mots et les finir par le son «O»!

Ex: Le vélo, la moto, l'auto, le métro, le texto, l'ado = adolescent, le dico = dictionnaire, crado = sale, écolo, bio et Macdo!

ATTENTION

Le même son peut s'écrire de différentes façons.

comme dans l'expression: «métro, *boulot,* dodo» = subway, work, sleep = la routine

le resto (ou restau) et le bistrot (ou bistro) = un café

le boulot = le travail et dodo = dormir (baby talk)

IV. Journal ou Blog

Recherche sur Internet @ sur le site officiel d'Astérix.

http://www.asterix.com/index.html.fr?rub=francais

http://www.youtube.com/watch?v=eLr8aU-sTb8

Examinez les noms des personnages et des villages dans le monde d'Astérix. Choisissez vos deux préférés (ou deux que vous avez compris), et expliquez la signification des jeux de mots dans votre journal ou blog.

Ex: Assurancetourix chante si mal qu'il est comme une assurance contre le tourisme: tout le monde part quand il chante.

V. Dialogues en classe ou vidéos

Personnages: Oncle Max + le commissaire Barda, Tonelli, Paule Lagarde et Violette, l'infirmière

L'AUTRE VIE DE MAX DOMPIERRE

De la discussion jaillit la lumière.

I. Compréhension

EXERCICE 1

Mettez les sept parties du chapitre en ordre chronologique et résumez chacune des parties en une phrase.

La stratégie de la police / La formule / La stratégie de Max au Périgord / Les quatre malfaiteurs / Les deux passions de Max / Les instructions de Max pour les Cinq / L'exploitation des mines gauloises par les Romains.

1. Les deux passions de Max. Max ______________________________

____

2. ______________________________

____

3. ______________________________

____

4. ______________________________

____

5. ______________________________

____

6. ______________________________

____

7. ______________________________

____

II. Grammaire

Les Pronoms Relatifs – **qui, que, dont, où**

ex: *a.* Max et Coco ont trouvé la formule **qui** va révolutionner le monde de l'énergie.

b. Les malfaiteurs veulent la formule **que** Max et Coco ont trouvée. (**qu'**ils)

c. Ils veulent la formule **dont** ils ont appris l'existence / dont ils veulent profiter

d. Ils veulent savoir là **où** elle se trouve.

* «la formule» et «là» sont les antécédents reliés par le pronom à la subordonné e relative.

a. **qui** est le sujet du verbe «va» dans la proposition relative.

b. **que** est le complément d'objet direct du verbe «ont trouvée»

c. **dont** est utilisé avec une expression suivie par **de** (l'existence **de**...)
(**dont** est traduit par whose or from whom) (profiter **de**...)

d. **là** est l'antécédent de où (an unknown place, where...)

Notez bien: L'antécédent peut être «**ce**» lorsqu'il est indéfini.

ex: C'est **ce qui** *me charme. C'est* **ce que** *je déteste. C'est* **ce dont** *j'ai peur.*

EXERCICE 2 *Remplissez les trous avec le pronom relatif qui convient.*

1. Les Romains ont exploité les mines ___________ les Gaulois connaissaient bien.

2. Les malfaiteurs ont chargé dans le yacht des trésors ___________ ils ont volés dans des musées _______________ exposaient des objets gallo-romains.

3. Ils ont aussi pris des pierres _____________ on ne comprend pas l'intérêt.

4. Nous savons là ___________ les étudiants ont trouvé ces pierres: c'est au champ du Fou!

5. Personne ne peut savoir là ____________ Max se cache.

6. Les Cinq doivent apporter au Périgord l'ordinateur _____________ est caché à la cave.

7. C'est Crados ______________ est le chef des malfaiteurs.

8. C'est à lui ____________ les autres obéissent, mais c'est Padugato ____________ j'ai peur.

9. On ne sait pas ____________ ils sont en train d'organiser, ni ________________ les deux jeunes ont envie de faire, ni _____________ ils se cachent.

III. Vocabulaire

Les mines et leurs produits

1. La famille du mot «mine»:

   la mine le mineur le minerai = métal brut (ore) la minéralogie miner

2. La famille du mot calcium:

   le calcium (CA) le calcaire = limestone la chaux = lime, whitewash

   la calcite = calcium carbonate (CaCO3)

3. Quelques éléments:

   le fer (FE) l'argent (AG) l'or (AU)

   le cuivre (CU) le plomb (PB)

4. Quelques mot utiles (Presque tous sont des « bons amis». Devinez-les.):

   l'argile = clay l'ocre le sol le terrain

   la veine un élémentt la roche la géologie

   la technologie la nanotechnologie la chimie la propriété chimique

EXERCICE 3

Mettez les 7 verbes suivants en ordre chronologique et faites une phrase pour chacun d'eux:

rechercher / isoler / extraire / exploiter / combiner / découvrir / creuser

1. ______________________________
2. ______________________________
3. ______________________________
4. ______________________________
5. ______________________________
6. ______________________________
7. ______________________________

EXERCICE 4 *Trouvez les bons amis.*

Faites sur une feuille de papier une liste de tous les bons amis que vous pouvez trouvez dans le chapitre 6. En classe, chaque élève lira sa liste et tout le monde éliminera les mots annoncés. L'élève qui aura le plus de mots restant sur sa liste sera le GAGNANT.

Quelques expressions idiomatiques

A. Quand on est d'accord:

Bon! Excellent! Parfait! D'accord! Super! OK!

B. Quand on n'est pas tout à fait d'accord:

Tu es sûr? Vraiment? A mon avis.... Quant à moi... = as for me...

ATTENTION

quand et quant

On écrit «quand» avec un «d» quand cela signifie «when»

ex: Quand on cherche, on trouve.

On écrit «quant» avec un «t» quand cela signifie «as for»

ex: Quant à moi, je préfère le chocolat.

C. Pour finir:

C'est tout? C'est bon? Bonne chance! On y va?

D. Au téléphone:

Allô? C'est Max! *plus formel:* Max à l'appareil! ou encore: C'est Max à l'appareil!

EXERCICE 5 *Dialoguez avec un(e) partenaire.*

Vous appelez un(e) ami(e) pour lui dire que vous avez découvert du minerai d'argent dans votre jardin.

Qu'allez-vous faire?

IV. Journal ou Blog

Écrivez une courte biographie en 3 paragraphes: (Crados? Eric? Max? Kip? Mehdi? Alex?)

1. Introduction du personnage et de sa situation.
2. Conflit / événement / problème. Progression.
3. Résolution du problème. Conclusion.

Utilisez les expressions suivantes pour marquer la chronologie: Au début / il y a / un jour / entretemps / puis / ensuite / alors / enfin / finalement.

V. Dialogues en classe ou vidéos

Personnages: Oncle Max, Paule Lagarde, Barda et Tonelli.

L'ATTENTE

L'habit ne fait pas le moine.

I. Compréhension

EXERCICE 1 *Choisissez la fin de phrase qui convient.*

1. Paule a conduit à Vaison-la Romaine
   a. très prudemment.
   b. très vite.
   c. beaucoup trop vite.
2. Paule
   a. adore cuisiner.
   b. aime bien manger.
   c. est au régime.
3. Elle va
   a. rester quelques jours avec son frère pour lui tenir compagnie.
   b. voyager avec les Cinq.
   c. jardiner avec Madeleine.
4. Madeleine
   a. fait des fouilles avec Alain.
   b. fait d'excellentes confitures.
   c. prépare de délicieux repas pour les Cinq.
5. Alain
   a. trouve les Cinq très fatigants.
   b. doit partir à Toulon.
   c. va garder Ric et Rac à l'œil.
6. Ric et Rac vont
   a. rendre la camionnette noire au garage.
   b. faire un beau voyage en France.
   c. rentrer tout de suite au Canada.

7. Ils ont
   a. peur que la police les découvre.
   b. voyagé en autobus jusqu'à Avignon.
   c. confiance en Crados et Padugato.
8. Max demande aux Cinq
   a. de se dépêcher sur les autoroutes.
   b. d'aller à Lascaux prudemment.
   c. de garder Ric et Rac à l'œil.
9. Les Cinq
   a. ont toujours faim: ils détestent la cuisine de Madeleine.
   b. travaillent tout le temps aux fouilles.
   c. visitent les environs de Vaison.
10. Crados et Padugato
   a. sont sympa, honnêtes et des parents responsables.
   b. sont irresponsables, menteurs et malhonnêtes.
   c. sont d'authentiques amateurs d'art gallo-romain.

II. Grammaire

A. Les verbes à l'infinitif

La règle: Quand deux verbes se suivent, le deuxième est à l'infinitif.

ex: Alain veut. — «veut» verbe 1 --- conjugué
Alain veut **faire** des fouilles avec les Cinq. — «faire» verbe 2 --- infinitif
Alain va **découvrir** des trésors gallo-romains.
Alain aime **tenir** compagnie à sa sœur Paule.
Alain ne doit pas **aller** en Périgord.
Préférez-vous jouer au foot ou au tennis?

NB aller + infinitif = going to = futur
venir de + infinitif = having just ... = passé

ex: Demain je vais nettoyer ma chambre! (futur proche) = I'm going to clean...
Je viens de nettoyer ma chambre, il y a dix minutes (passé récent) = I just cleaned...

EXERCICE 2 *Dans le chapitre 10, trouvez dix exemples de verbe à l'infinitif qui suit un verbe conjugué.*

1. ______ 2. ______ 3. ______
4. ______ 5. ______ 6. ______
7. ______ 8. ______ 9. ______
10. ______

B. Les pronoms personnels toniques

On les utilise	**moi / toi / lui / elle / nous / vous / eux / elles**
a. après une préposition	Voulez-vous danser **avec moi?**
b. pour mettre de l'emphase	**C'est lui** qui gagne.
c. pour renforcer le sujet	**Moi**, j'aime voyager, **toi** tu aimes cultiver ton jardin.
d. à l'impératif positif	Cache-**toi**!

EXERCICE 3 *Choisissez le pronom tonique approprié.*

1. Paule? C'est __________ qui déteste cuisiner.

2. Alain, c'est __________ qui travaille toujours.

3. Ric et Rac? Ce sont __________ que la police recherche!

4. C'est __________ (je) qui fais la vaisselle et __________, tu ranges les assiettes.

5. Nous? Ils sont partis sans __________.

6. Kip et Ségo? Ce ne sont pas __________ qui doivent changer de look.

7. __________ , tu t'occupes de la maison de Max et __________, je te tiens compagnie.

8. Eric adore sa mère. C'est pour __________ que Crados veut construire un musée.

9. Entre __________ et __________, nous allons nous débrouiller.

10. Cachons- __________, les policiers nous ont vus.

III. Vocabulaire

A. Expressions de tous les jours: tout est bon!

Bonjour! Bonsoir! (en un seul mot)

Bon voyage! Bon retour! Bon appétit!

Bonne chance! Bonne route! Bonne santé!

Bonne journée! Bonne soirée! Bonne année!

De même que la bouchée signifie ce que la bouche peut contenir (= a mouthful), une année signifie le contenu d'un an.

ex: Cette année j'ai lu deux livres en français. L'année prochaine j'en lirai dix.

EXERCICE 4 *Donc, si une cuillerée est ce qui va dans une cuiller*

1. une pelletée est ________________________________
2. une gorgée est ________________________________
3. une potée est ________________________________
4. une soirée est ________________________________

B. Bons et faux amis

ATTENTION

FAUX AMIS:

aimable = likeable, polite *ex: Ce vendeur n'est pas aimable.*

agréable = pleasant DOES NOT mean «agreeing with you» *ex: Le climat en France est assez agréable.*

les salades = troubles *ex: L'amitié, c'est l'amour sans les salades*

BON AMI: la salade = salad *ex: Donnez-moi deux salades s'il vous plaît.*

EN ARGOT: bosser = travailler

EXERCICE 5 *Remplissez ces trous avec les bons et faux amis mentionnés ci-dessus.*

Anne et Sophie sont au restaurant. Le serveur est de mauvaise humeur.

Anne: «Ce restaurant est très ________________. La décoration est très chic. J'espère que les ________________ sont bonnes! Le serveur vient à leur table et leur demande brusquement:

— Vous voulez quoi, mesdemoiselles?

— Deux petites salades et deux Perrier, s'il vous plaît.

— C'est tout?

— Oui, c'est tout. Le serveur part sans parler.

— Ce serveur est désagréable. On dit en français il est ________________ comme une porte de prison.

Le serveur les a entendues et leur dit, furieux:

— Je ____________ de 7 heures du matin à 11 heures du soir, et vous venez et commandez deux petites ________________ et deux Perrier!

— Oui! Y a-t-il un problème?

— Mais oui, deux petites bouchées de ____________, et puis deux petites gorgées d'eau...

— Mais...

— ... et vous avez encore faim et soif, et moi je dois courir pour vous servir deux autres petites ______________!!!

— Bon! Allez vous reposer, nous allons manger nos petites _________________ au petit restaurant d'en face qui nous a l'air bien plus ________________ et où les serveurs sont bien plus ____________ qu'ici.

Le serveur les regarde et leur dit en s'en allant:

— Ah! Avec les filles, c'est toujours la même chose: des ____________________, encore des ____________________ toujours des ________________!»

IV. Journal ou Blog

Recherchez

1. Le cassoulet et sa recette. Faites une liste des ingrédients.

ou

2. Lascaux. Racontez la découverte de la grotte.
   a. google.fr
   b. «lascaux découverte»

V. Dialogues en classe ou vidéos

A. Composez votre salade idéale et faites une liste des ingrédients.

B. Vous allez au marché et vous écrivez le dialogue entre vous et les marchands.

«Bonjour, monsieur, donnez-moi de la salade verte et... ________________________________»

Notez bien: N'oubliez pas de précéder vos choix par: du, de la, des, pas d', pas de, etc.

C. Pour le plaisir: à l'aide de google.fr, trouvez, écoutez, regardez et chantez cette chanson:

sans paroles «Les Cornichons (nino ferrer)»

avec paroles «les cornichons Nino Ferrer»

LES PRÉPARATIFS DE VOYAGE

Le travail c'est la santé.

I. Compréhension

EXERCICE 1 *Trouvez l'intrus:*

1. À Vaison-la Romaine, on visite la ville romaine, les thermes, le théâtre, le viaduc et aussi le village médiéval et son château.

2. Max dit à Alain, à Paule, aux Cinq et à Violette qu'il va partir pour Lascaux.

3. Avant de partir en voiture, on vérifie les pneus, les freins, l'huile, les liquides, les ceintures de sécurité et la radio, mais aussi les papiers de la voiture et les cartes qui doivent être dans la boîte à gants.

4. La valise noire doit contenir la serviette avec les formules chimiques, la poudre de juanite dans l'enveloppe jaune, et aussi une statuette, l'urne funéraire ainsi que les outils gallo-romains, les fragments et les pierres demandés. Les trois derniers items doivent être rangés dans les trois boîtes clairement identifiées.

5. Les Cinq partent très tôt. Ils iront à Orange, à Nîmes, à Toulon, à Toulouse, à Lascaux et dans le département du Tarn.

EXERCICE 2 *Terminez les phrases avec la bonne activité de chacun.*

Qui fait quoi?

ex: Max ⟶	*a préparé les fouilles de loin.*
1. Coco	a. organise les fouilles et conduit le 4x4.
2. Jean-Mi, Mehdi et Alain	b. classe et étiquette les objets découverts.
3. Kip	c. creusent avec leurs pelles.
4. Ségo et Alex	d. est chercheur, spécialiste en moisissures.
5. Alain	e. trouve du silex.
6. Ségo	f. brosse et nettoie tout ce qu'on met dans les boîtes.
7. Alex	g. rangent les objets dans les boîtes.

II. Grammaire

A. Le Futur

Notez bien: Il y a toujours **un R** au FUTU**R**!

Pour construire un verbe au futur, il faut:

1. Le verbe à l'infinitif.

2. Les terminaisons suivantes:

Je --- **ai**, tu --- **as**, il, elle, on --- **a**, nous --- **ons**, vous --- **ez**, ils, elles --- **ont**

*ex: je penser***ai**, *tu penser***as**, *elle penser***a**, *on viendr***a**, *nous finir***ons**, *vous finir***ez**, *ils finir***ont**.

ATTENTION

3. Les verbes terminés en ---re: prendre > prendrai: on enlève le «e» final.

4. Les verbes terminés en ---oyer, --- uyer, --- ayer: y devient "i" devant un «e muet».

ex: nettoyer > je nettoierai essuyer > j'essuierai essayer > j'essaierai

5. VERBES IRRÉGULIERS

être / serai avoir / aurai savoir / saurai aller / irai faire/ ferai

voir / verrai pouvoir / pourrai mourir / mourrai courir / courrai envoyer / enverrai

venir / viendrai tenir / tiendrai devoir / devrai recevoir / recevrai pleuvoir/pleuvrai

EXERCICE 3 *Mettez au futur:*

1. Je viens ____________ 2. tu conduis __________ 3. il voit __________

4. elle nettoie __________ 5. on fait ____________ 6. nous avons __________

7. vous êtes ____________ 8. ils savent __________

9. Les Cinq vont en Périgord ______________________________.

B. Le pluriel des mots composés

D'habitude, on met les 2 mots au pluriel:

ex: une grand-mère / des grands-mères un coffre-fort / des coffres-forts

Mais quand le premier mot est un verbe: il ne change pas.

ex: un couvre-lit / des couvre-lits un casse-croûte / des casse-croûtes
et aussi un porte-bagages / des porte-bagages un porte-clés / des porte-clés

C'est logique: un pique-nique / des pique-niques un casse-croûte / des casse-croûtes

Mais: un casse-cou / des casse-cou (c'est logique: on n'a qu'un cou!)

III. Vocabulaire Touristique

Il y a les vacances sportives, culturelles, écologiques, gastronomiques, aventureuses, exotiques, paresseuses, calmes, entre copains, en famille ou solo: tout le monde aime les vacances et attend les congés avec impatience.

Le paysage, la montagne, la campagne, la mer, la colline, le champ, la forêt, le lac, le panorama, la rivière,

La vue, la grotte, le pique-nique, la promenade, la balade.

La ville, le village, le château, la cathédrale, le théâtre, le musée, l'hôtel, l'auberge (inn), l'auberge de jeunesse, le gîte (B&B), le restaurant, le café terrasse, le bistro.

La route nationale, l'autoroute, la route départementale.

Une expédition, du trekking, de l'escalade, de l'alpinisme.

EXERCICE 4 *À l'écrit et à l'oral. L'art du voyage.*

Avec un(e) partenaire, préparez ensemble un questionnaire de 10 questions pour évaluer quels seront le meilleur type de vacances et la meilleure destination pour la personnalité d'un copain ou d'une copine de classe. Interviewez-le (ou –la) et préparez-lui ensemble, de splendides vacances... au futur, naturellement.

BONUS

Les verbes et leur famille: ouvrir et couvrir

Ouvrir: ouvert / ouvrable (adj.) une ouverture = opening ouvertement = openly

Couvrir: couvert / découvert = discovered / uncovered

une couverture = blanket

un couvercle = lid

un couvre-lit = bedcover

un couvre-livre = bookcover

un couvre-feu = curfew = alteration from French to English.

IV. Journal ou Blog

Recherche sur Internet @ La France et sa géographie

A. Sur votre carte de la France, tracez EN BLEU le trajet des Cinq de Paris à Vaison-la-Romaine et EN ROUGE le trajet d'Éric et de Marc de Vaison-la-Romaine à Orange.

B. Choisissez une région de France, et trouvez-en des illustrations à l'aide de:

http://google.fr/images

Ensuite, faites imprimez une carte postale illustrée. Au dos de la carte, composez un message décrivant la région que vous avez choisie et vos activités. Signez du nom d'un personnage du livre.

V. Dialogues en classe ou vidéos

Personnages: Les CINQ + Max, (Alain) et (Violette)

Pique-nique au Mont Ventoux avec vue sur les Alpes

RIC ET RAC S'ORGANISENT

Le mal porte le repentir en queue.

I. Compréhension

EXERCICE 1 *Répondez aux questions:*

1. Ric et Rac sont-ils discrets? ____

2. Pourquoi ont-ils acheté leur moto à Montpellier. ____

3. Pourquoi Eric veut-il appeler l'hôpital de Toulon? ____

4. Où vont-ils trouver le numéro de téléphone de l'hôpital?____

5. Pourquoi Eric est-il perplexe au téléphone? ____

6. Max avait-il dit à Violette qu'il allait à Lascaux? ____

7. Marc questionne-t-il les actions de Crados et de Padugato? ____

8. La mère d'Eric est-elle pragmatique?____

9. Qui va faire des recherches au sujet de Max sur Internet?____

10. Qui est en ligne dans son yacht ce soir-là?____

II. Grammaire – Le Conditionnel

Formation: Comme pour le futur, on forme le conditionnel avec l'infinitif du verbe, les exceptions étant les mêmes que pour le futur. Cependant, les terminaisons sont celles de l'imparfait:

Je/tu --- **ais**, il,elle,on --- **ait**, nous --- **ions**, vous --- **iez**, ils,elles --- **aient**

*ex: je/tu suivr***ais***, il, elle, on grandir***ait***, nous mettr***ions***, vous rentrer***iez***, ils, elles* **feraient (irr.)**

On traduit le conditionnel par "would" suivi du verbe à l'infinitif.

On traduit «should» avec le verbe «devoir»: I should = **je devrais**

suivi d'un infinitif: **je devrais travailler.**

EXERCICE 2 *Mettez au conditionnel.*

1. je finis ______________ 2. tu vas ________________ 3. il devient __________________

4. elle peut ____________ 5. nous essuyons __________ 6. vous devez ________________

7. ils reçoivent _________ 8. elles rient _____________ 9. tu reçois _________________

10. vous voyez _________ 11. j'ouvre ______________ 12. nous payons ______________

USAGE – On emploie le conditionnel:

a. par politesse, pour adoucir un ordre

ex: Je **voudrais**... *nous* **aimerions**... **pourriez**-*vous...*

b. s'il y a une condition

ex: Je **courrais** *bien, mais j'ai mal aux pieds.*

c. avec une subordonnée introduite par **si**

ex: Je **viendrais** *te chercher, si je savais où tu étais!*
Si nous avions été là, nous l'aurions vu.
S'il était venu, nous l'aurions certainement vu.
S'il était venu, nous l'aurions certainement vu.

d. dans le doute ou la prudence (= allegedly ou supposed to...)

ex: Ils **seraient** *à Lascaux jeudi (apparemment)*

e. au discours indirect:

– au présent, le verbe introducteur est au présent, la phrase rapportée est au futur.

ex: **Il pense** *(présent) que la police ne* **pourra (futur)** *pas localiser l'appel.*

– au passé, le verbe introducteur est au passé, la phrase rapportée est au conditionnel.

ex: **Il a dit** *que la police ne* **pourrait** *pas localiser l'appel.*

ATTENTION

au PLUS-QUE-PARFAIT et au CONDITIONNEL PASSÉ.

Quand l'action est au passé, on utilise le conditionnel passé (souvent avec le plus-que parfait)

ex: **J'aurais déjà fini** *mes devoirs* **si je n'avais pas répondu** *au téléphone!*

EXERCICE 3 *Remplissez les espaces vides de cette hypothèse historique.*

Jules César aurait pu dire: «Si je n'étais pas venu, et si je n' ____________ pas vu, je n' ____ __________ pas vaincu!»

EXERCICE 4 *Conditionnel ou non? Choix difficile!*

«Bonjour, monsieur, qu'est-ce vous (vouloir) ____________ boire?

— Je (vouloir) ______________ un citron pressé et quelques olives, s'il vous plaît.

— Et qu'est-ce que vous (préférer) ______________ après ça? Un plat de crudités, un steak-frites, ou une soupe et un sandwich?

— J' (aimer) ____________ un plat de crudités et de l'eau minérale.

— D'accord. Je reviens tout de suite. Mais, (préférer) _______________ -vous une table à la terrasse? Il fait si beau dehors!

— Volontiers! Merci bien.

— (avoir) ______________ -vous une préférence? Perrier ou Évian?

— J' (aimer) ____________ un Perrier, s'il vous plaît. Mais, pour la terrasse, j'ai entendu à la radio qu'il (pleuvoir) ___________ cet après-midi!

— Mais voyons, monsieur, si on croyait les prédictions de la radio, on (prendre) ____________ son parapluie quand il (faire) __________ soleil, et on (être) ____ __________ trempé (soaked) par la pluie alors qu'ils promettent le beau temps! Ce sont tous des menteurs. Asseyez-vous où vous voulez.»

Le serveur disparaît au fond du café.

Le client s'installe à la terrasse et se dit: «On m'avait dit que les Français étaient sceptiques et parfois cyniques... Ce serveur en serait certainement la preuve!

III. Vocabulaire

EXERCICE 5 *Les Transports - Reliez chaque image au texte correspondant.*

«à» si on est dehors ou assis dessus (sur)

On voyage à pied

à vélo

à moto

à bicyclette

à tricycle

à scooter

à ski

à cheval

«en» si on est dedans (dans)

en train / ou par le train

en auto / en voiture

en avion

en bus / en autobus

en car

en camion

en hélicoptère

en fauteuil roulant (exception!)

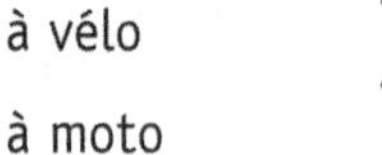

EXPRESSIONS DE TOUS LES JOURS

Quand on n'est pas d'accord:

Non! Pas du tout! Pas question! Jamais de la vie!

Quand on se quitte:

Au revoir! À bientôt! À tout à l'heure! qui devient: *«À tout'» (prononcé «toute») en argot*

IV. Journal ou Blog

Qui? Où? Quand? Quoi? Comment?

Résumez les 3 séquences du chapitre. Donnez un titre à chacune.

Recherche sur Internet @ en français et placez sur votre carte de France:

Lascaux (Montignac) / le Périgord / la Dordogne (région et rivière)

http://www.google.fr

V. Dialogues en classe ou vidéos

Personnages: Ric et Rac et Violette.

CHAPITRE 13

ACTIVITÉS

À TRAVERS LA FRANCE ET SON HISTOIRE

Les voyages forment la jeunesse. — *Montaigne*

I. Compréhension

EXERCICE 1 *Répondez aux questions.*

1. Il y a une montée radicale du nombre de visites sur un site Internet. Quel site? D'où est-il visité? ____________________

2. On tape sur le clavier en disant les pires insultes. Qui? À qui? ____________________

3. On est impressionné par les recherches de Max. Qui? ____________________

4. Ils comprennent et sont dégoûtés. Qui? De qui ? Pourquoi? ____________________

5. On cherche un message codé. Qui? De qui? ____________________

6. On découvre que Max et Colas Pernic ont écrit un mémoire ensemble. Qui? Que vont-ils transformer? ____________________

7. On comprend que la formule vaut une fortune. Qui comprend? ____________________

EXERCICE 2 *On S'organise!*

Avec un(e) partenaire, faites 3 listes + carte ou diagramme d'après les informations données dans le chapitre 13. Vérifiez vos listes avec un autre groupe, sans vous disputer!

1. Le partage des responsabilités de chacun pendant le voyage.
2. L'itinéraire des Cinq. (carte)
3. L'itinéraire de Ric et Rac. (carte)

Attention aux prépositions suivies d'articles: à, au, de, du, en, dans les, etc.

II. Grammaire

*PRÉPOSITIONS **À** et **DE** avec les noms de villes, de pays et de provinces.*

A. Les villes: Pas d'articles avec les noms de ville

à + la ville	*ex: je vais à Paris*
de + la ville	*ex: je viens de Toulouse*

sauf quelques exceptions comme La Rochelle et La Nouvelle Orléans:

ex: je viens de La Rochelle et vais à La Nouvelle Orléans

B. Les noms de pays et de provinces sont précédés d'un article

(to / in)	= AU avec un nom masculin	*ex: Le Canada*	*je vais au Canada*
		Le Québec	*je vais au Québec*
	= EN avec un nom féminin	*ex: La France*	*je vais en France*
		La Provence	*je vais en Provence*
	= AUX avec un nom pluriel	*ex: Les États-Unis*	*j' habite aux États-Unis*
		Les Bahamas	*je vais aux Bahamas*
	= DANS LES avec les noms de régions	*ex: Dans les Alpes*	*je voyage dans les Alpes*
		Dans le Maine	*je voyage dans le Maine*
	= EN avec les pays dont le nom commence par une voyelle		
		ex: en Afghanistan, en Israël, en Inde, en Alaska	
			je voyage en Alaska

(from)	= DU avec un nom masculin	ATTENTION! DE avec un nom féminin	
	ex: le Mali, je viens du Mali	*MAIS la Suisse, je viens de Suisse / (sans article)*	
	ex: le Maroc, je viens du Maroc	*MAIS la Bretagne, je viens de Bretagne*	
	= DES avec un nom pluriel	*ex: Les États-Unis*	*je viens des États-Unis*
		Les Caraïbes	*je viens des Caraïbes*
	= D' avec lesnoms de pays masculins ou féminins qui commencent par une voyelle:		
		ex: L'Australie (f)	*je viens d'Australie*
		ex: Haïti	*je viens d'Haïti*

EXCEPTION: le Périgord.

On ne dit pas au Périgord! On dit en Périgord. (Pourquoi? Parce que c'est comme ça!)

ex: C'est en Périgord qu'on mange le mieux en France.

EXERCICE 3 *Remplissez les vides.*

Les personnes qui visitent le site de Max Dompierre sont ____________ Australie, ________ Afrique, ____________ Koweït, ____________ Allemagne, ______________ Kurdistan, ____________ Arabie Saoudite, ____________ États-Unis et ________ Canada. Certains étudiants viennent __________ Brazzaville et _____________ Bordeaux.

Eric et sa mère viennent ____________ Ottawa. Le théâtre antique est __________ Orange, les Arènes _____________ Nîmes, et le Tarn ______________ Cévennes. Ric et Rac vont dormir ____________ Carcassonne et les Cinq ________________ Toulouse. Même Crados est en ligne (from)_____________ Terre Neuve.

Bienvenue _____________ Aquitaine, _____________ la grotte de Lascaux ____________ Montignac!

III. Vocabulaire Historique

A. L'histoire de France express!

La France de 80.000 av. J.-C. à l'an mil. Le Moyen-Age.

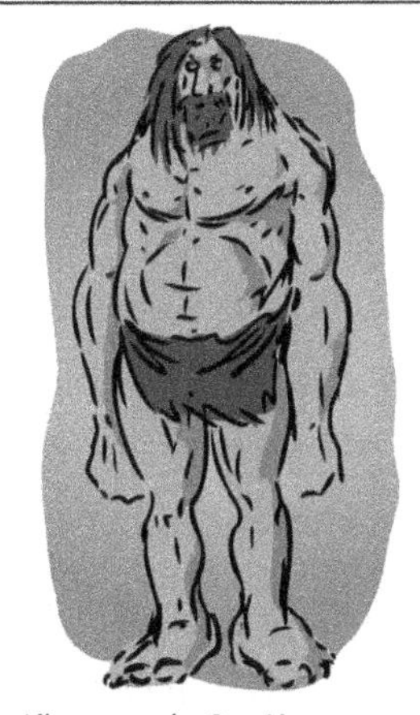

L'homme de Cro-Magnon

La préhistoire en France

- Néanderthal (80.000 av. J.-C)
- Cro-Magnon (40 / 30.000 av. J.-C)
- Néolithique (15.000 av. J.-C)
- Lascaux (15.000 av. J.-C.) (découvert en 1940.)

L'histoire de France

- Les Celtes (800 av. J.-C)
- La Gaule (800 / 120 av. J.-C)
- Les Romains, La conquête romaine: Pax Romana (120 av. J.-C / 250 ap. J.-C)
- La Gaule romaine, les Gallo-romains: (52 av. J.-C. / 250 ap. J.-C.) (pour spécifier)
- Les invasions: Les Wisigoths, les Huns, les Francs (259 / 482)
- Clovis, le premier roi des conquête la Gaule (482 / 511)
- L'Empire carolingien (Charlemagne) (768 / 814)
- Le premier roi de France: Hugues Capet (987)
- La dynastie des Capétiens règnera sur la France avec sa branche directe de 987 à 1328
- Guillaume le Conquérant devient Roi d'Angleterre en 1066
- L'Aquitaine disputée entre les Français et les Anglais: depuis 1154 jusqu' à 1453

Un guerrier gaulois

B. Expressions de tous les jours

Familier	**Normal**
Sans blague?	C'est vrai? Vraiment?
Rien de neuf?	Rien de nouveau?
Génial! Cool!	C'est génial! Super! Excellent!
C'est nul!	C'est affreux! C'est mauvais!
Dépêche-toi!	Dépêchons-nous! Dépêchez-vous!
En avant! Vas-y!	Allez ! Allons-y! On y va! En route!
Ça vous dit?	Ça vous intéresse?

IV. Journal ou Blog

Travail personnel

Composition / travaux pratiques et @ recherche sur Internet

1. **Pour les amateurs de littérature**, imaginez et écrivez les notes que Ségo a prises pendant ce chapitre pour son reportage. Publiez-les sur votre blog.

Choisissez un des deux sujets suivants pour préparer un rapport oral en classe. Utilisez www.google.fr

2. **Pour les amateurs de géographie**, faites une carte de France avec tous les endroits visités par les personnages de *La Maison d'Oncle Max* pour l'afficher en classe éventuellement.

3. **Pour les amateurs d'histoire**, préparez une frise historique (time line) de l´époque du Néanderthal à Jeanne d'Arc pour l'afficher en classe éventuellement. Pour vous donner des idées, cherchez «frise historique» sur google.fr, ou bien visitez ce site pour vous inspirer: http://bla-bla.cycle3.pagesperso-orange.fr/histfran.htm.

V. Dialogues en classe ou vidéos

Personnages: Les CINQ + Alain et Madeleine

L'Aquitaine est au sud-ouest de la France. Les Anglais règnent sur les régions arborant le lion britannique. Le Roi de France règne sur les régions arborant les fleurs de lys. Au nord-est, l'aigle indique l'influence germanique.

RENDEZ-VOUS À LASCAUX

Tous les chemins mènent à Rome.

I. Compréhension

EXERCICE 1 *VRAI OU FAUX Corrigez les erreurs.*

1. Toulouse est appelée la "Ville Rose" en raison des Wisigoths.

____

2. Les pèlerins allaient à Saint-Jacques-de-Compostelle en Airbus.

____

3. Toulouse est une ville ancienne et moderne à la fois.

____

4. Les Français et les Anglais se sont fait la guerre pendant un siècle.

____

____

5. L'homme de Cro-Magnon est plus évolué que l'homme de Néanderthal.

____

____

6. Coco ressemble à Tintin.

____

____

Une famille Néanderthal

7. Coco, l'ami de Max, est un excellent cuisinier et un inventeur de génie.

---

8. Il vit dans une habitation troglodyte où se trouve son laboratoire.

II. Grammaire – Révision des pronoms personnels

A. Les pronoms personnels

(s)	(pl)		
JE, TU	**IL, ELLE, ON**	**NOUS, VOUS**	**ILS, ELLES**
ME, TE	**SE**	**NOUS, VOUS**	**SE**

B. Les pronoms personnels toniques avec ou sans préposition

MOI, TOI, LUI, ELLE **NOUS, VOUS, EUX, ELLES**

sans préposition

ex: **Eux**, *ils mangent trop*

avec préposition

ex: Elles sont venues chez **moi** *avec* **lui**.

C. Les pronoms objets directs et indirects

OBJET DIRECT	**LE, LA**	**LES**
OBJET INDIRECT	**LUI**	**LEUR**

ex: Ces fleurs? Il **les leur** *a données hier soir.*

D. Les pronoms invariables "y" et "en"

ex: J'**en** voudrais 10. (quantité)	Je n'**en** ai pas	
ex: J'**y** serai à 7 heures. (endroit)	Allons-**y!**	**Y en** a-t-il assez?
ex: Y en a-t-il?	**Y** précède **EN**	

E. La Position Des Pronoms Dans La Phrase.

Je, j'	me, m'	le	lui	y	en
Tu, t'	te, t'	la	leur		
Il, elle, on	se s'				
Nous	nous				
Vous	vous				
Ils, elles	se				

ex: Nous **les y** *avons mises. Tu* **leur en** *as donné trois. Tu n'***en** *manges jamais* **chez eux.**
Il **n'y en** *a plus.*

ATTENTION

Le pronom tonique-sujet précède tous les autres.

Moi, te refuser une faveur? Jamais! **Elles**, elles n'aiment que les salades! **Eux**, ils n'en mangent jamais.

EXERCICE 2 *Remplacez les noms par les pronoms qui conviennent.*

1. Ils sont derrière **Ségo et moi.** Ils sont derrière ___________________.
2. Les deux châteaux sont séparés par **la Dordogne.** Ils sont séparés par _____________ .
3. Coco montre **les pièces aux Cinq.** Il __________ ______________ montre. (2 pronoms)
4. Ils vont dormir chez **Coco.** Ils vont dormir chez _______________ .
5. Coco va manger avec **les Cinq.** Il va manger avec ______________ .
6. Il disparaît **dans sa grotte / laboratoire.** Il ______________ disparaît.
7. Il y a **beaucoup de tuiles sur les toits.** Il _____ ______ a beaucoup. (2 pronoms)

III. Vocabulaire

Définitions

EXERCICE 3 *Joignez le mot à sa définition.*

1. Traverser	a. la chaîne de montagnes qui sépare la France de l'Espagne.
2. Un siècle	b. tableau d'indications installé le long des routes.
3. Une tuile	c. habitation fortifiée du Moyen-Age.
4. Un pèlerin	d. petite plaque de terre cuite qui couvre les toits dans le Midi.
5. Les Pyrénées	e. cavité naturelle creusée par le temps dans le rocher.
6. Un château fort	f. 100 ans.
7. Une grotte	g. homme de l'Age néolithique vivant de chasse et de fruits.
8. Le foie gras	h. corruption d'une substance organique causée par l'humidité.
9. La moisissure	i. spécialité gastronomique du Périgord.
10. Un panneau routier	j. aller du nord au sud, ou de l'est à l'ouest
11. Cro-Magnon	k. voyageur marchant de longues distances vers un lieu saint.

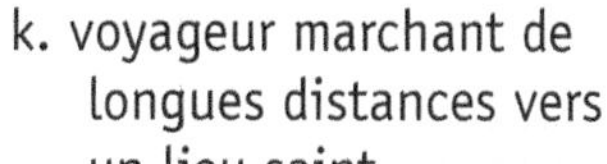

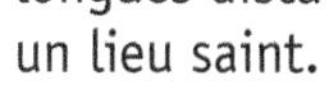

EXPRESSIONS DE TOUS LES JOURS

C'est incontournable! c'est un «must»

LES BONS AMIS

LES MOTS TERMINÉS PAR ___**AGE** (m.) et LES MOTS TERMINÉS PAR ___ **TION** (f.)

Complétez les deux listes avec vos ____ **age** et ____ **tion** favoris.

LE L'		**LA L'**	
cottage	mirage	information	nation
garage	suffrage	question	civilisation
collage	____________	attention	situation
visage	____________	intention	salutations
courage	____________	punition	introduction
massage	____________	ambition	____________
carnage	____________	tradition	____________
entourage	____________	fraction	____________
passage	____________	équation	____________
paysage	____________	transition	____________
voyage	____________	présentation	____________
carnage	____________		

IV. Travaux personnels

Composition et recherche sur Internet @ http:www.google.fr

1. COMPOSITION: **Si vous êtes littéraire**, imaginez et écrivez **les notes** que **Ségo** a prises dans ce chapitre pour son reportage et publiez-les dans un journal ou votre blog.

2. RAPPORTS ORAUX: **Si vous aimez l'histoire**, choisissez le sujet sur lequel vous voulez faire un rapport oral en classe. Pour cela, complétez vos notes, cartes, et frises historiques. N'oubliez pas d'ajouter l'Aquitaine, Aliénore d'Aquitaine, Néanderthal, Cro Magnon en France pour compléter votre **frise historique**.

3. **Si vous aimez la géographie**, complétez votre **carte touristique** en suivant les voyages des Cinq, de Max, et de Ric et Rac.

4. **Si vous aimez les bandes dessinées**, préparez un rapport sur les personnages dans les bandes dessinées de Tintin sur http://www.tintin.com (N'oubliez pas de chercher le nom pour Dupont et Dupond et le Professeur Tournesol en langues étrangères!!)

5. **Si vous aimez la technologie**, faites une recherche sur Internet et préparez un rapport sur l'AIRBUS A380.

V. Dialogues en classe ou vidéos

Personnages: Les CINQ + le professeur Colas Pernic, dit Coco.

CHAPITRE 15

ACTIVITÉS

COUP DE THÉÂTRE À LASCAUX

En France, on n'a pas de pétrole, mais on a des idées! — *Slogan des années 70*

I. Compréhension

EXERCICE 1 *Complétez les phrases et mettez-les en ordre chronologique.*

1. Coco travaille dans ______________________________
2. Les Cinq visitent ______________________________
3. Oncle Max envoie un texto qui ____________________, et qui ____________________
4. Il promet aussi ______________________________ pour samedi.
5. Kip et Jean-Mi ont vu ______________________________
6. Rac a entendu la conversation ______________________________
7. Ric décide de ______________________________
8. Alex annonce que Crados et Padugato ______________________________
9. Ric et Rac vont offrir ______________________________

EXERCICE 2 *Qui fait quoi?*

1. Coco et Max — a. remercie les Cinq pour leur bon travail.
2. Les Cinq — b. décident de proposer une alliance.
3. Mehdi — c. a écouté les Cinq au café.
4. Marc — d. annonce que Crados et Padugato sont en prison.
5. Kip et Jean-Mi — e. ont vu Ric et Rac à Lascaux.
6. La mère d'Eric — f. a pitié de Ric et Rac
7. Oncle Max — g. a lu en ligne que la femme de Crados ignorait les activités criminelles de son mari.
8. Ric et Rac — h. ne savait pas ce que Crados et Padugato complotaient.
9. Oncle Max — i. ont finalement perfectionné la formule.
10. Le journal — j. sont amoureux de la région.

Le kiosque à journaux, et son café-terrasse

II. Grammaire

A. Les futurs (et conditionnels) irréguliers

EXERCICE 3 *Remplissez les espaces vides en conjuguant les verbes suivants.*

ex: **ALLER IR-** *j'irai tu iras il ira nous irons vous irez ils iront*

1. **FAIRE FER-** je ferai ______________________________
2. **ÊTRE SER-** __________ tu seras ______________________________
3. **AVOIR AUR-** __________ __________ il aura ______________________
4. **SAVOIR SAUR-** ______________ nous saurons ______________________

Autres futurs (conditionnels) irréguliers:

Mettez au futur:

5. **POUVOIR POURR-** nous __________
6. **VOIR VERR-** tu __________
7. **ENVOYER ENVERR-** elles __________
8. **COURIR COURR-** vous __________
9. **MOURIR MOURR-** ils __________
10. **DEVOIR DEVR-** je __________
11. **RECEVOIR RECEVR-** elle __________

Mettez au conditionnel:

12. **VENIR VIENDR-** je __________
13. **TENIR TIENDR-** elles __________
14. **FALLOIR FAUDR-** il __________
15. **VALOIR VAUDR-** nous __________

EXERCICE 4 *Mettez le post-scriptum au futur*

____

____

____

____

____

____

____

____

____

____

B. Les Verbes En ---eler, ---eter, ---ener, ---ever, ---eser

ex: *appe***ler** *(***LL***)* *je***ter** *(***TT***)* *ache***ter** *(È)* *me***ner** *(È)* *pe***ser** *(È)*

EXPLICATION: Quand la dernière syllabe est prononcée (sounded), c'est simplement comme à l'infinitif:

ex: Appeler, appelé, appelez, appelons, appelais, appelait, appelaient.

Quand l'avant-dernière syllabe est un **L,T, N**,ou un **S** suivi par en «e» muet, on accentue la dernière syllabe (du verbe) en doublant la consonne ou en mettant un accent grave sur le **E.**

ex: APPELLE: je m'appelle, je jetterai, nous jetterons, vous jetteriez, elles projetteraient,...

ex: ACHÈTE: nous achèterions, elle pèse, elles emmènent, on amènera, ils se promèneraient, nous achèterions...

EXERCICE 5 *Conjuguez les verbes suivants au présent, à l'imparfait, au futur ou au conditionnel.*

1. Jeter
Nous __________ons nous __________erons vous __________iez tu ________es

2. Acheter
Elles __________ent elles __________eraient on __________ait vous ________ez

3. Peser
Ils __________ent tu __________eras nous __________ions nous ________erions

EXERCICE 6 *Mettez ces 9 verbes au futur.*

—Ils *(sont)* ________________ en prison. Ma mère *(est)* ________________ désespérée. je *(dois)* ______________ rentrer à Ottawa pour être avec elle. Il *(faut)* ____________ parler à Max aussitôt que possible.

— Heureusement que les Cinq viennent de passer devant le café. J'ai entendu qu'ils *(ont)* ______________ rendez-vous ici même demain à 10 heures.

— Ça *(facilite)* ______________ les choses! Bon. On les *(repère)* ______________, on les *(suit)* ______________ à distance et on *(choisit)* ______________ le bon moment pour leur parler. D'accord?

III. Vocabulaire

A. Expressions particulières

EXERCICE 7 *Joignez les éléments.*

1. On diffuse	a. une enquête
2. On mène	b. des fonds
3. On se rappelle	c. de toutes ses oreilles
4. On propose	d. la formule
5. On écoute	e. ses bonnes manières
6. On détourne	f. les poches
7. On réduit	g. un pacte de solidarité
8. On se remplit	h. les émissions nocives

B. Expressions utiles avec le mot «COUP»

Un coup de téléphone	=	(a phonecall)
Un coup de théâtre	=	une grande surprise
Un coup d'état	=	changement brutal de gouvernement
Un coup de chance	=	(a stroke of luck)
Un coup de main	=	de l'aide pratique
Un coup de pouce	=	de l'aide, un encouragement
Un coup de pied	=	on frappe avec son pied (kick)
Un coup de poing	=	on frappe avec le poing (punch)
Un coup d'œil	=	on regarde vite (glance)
Un coup de cœur	=	on aime quelque chose instantanément

C. Quelques expressions utiles pour articuler une histoire

tout d'abord (at first) ensuite (then) et après (and after) enfin (finally)

pendant ce temps (meanwhile) une heure plus tard (one hour later) pour l'instant (for the time being)

au cours de l'année suivante (during the following year) en effet (indeed) en fait (as a matter of fact) et de plus (moreover)

IV. Journal ou Blog

Recherche sur Internet @ http://www.lascaux.culture.fr et http://www.lascaux.culture.fr/index.php#/fr/mediatheque.xml

1. Visitez la grotte sur le premier site. Recherchez-y un maximum d'informations à propos de la grotte de Lascaux: quand et comment l'a-t-on trouvée, qui l'habitait, et à quelle époque? Résumez ces informations et mettez-les dans votre journal. Ensuite, comparez et discutez-les ensemble en classe.

2. Racontez ou organisez un voyage de rêve à travers votre région préférée. Préparez une publicité sur Internet avec un poster, des photos, des activités et un budget. Présentez votre projet sur votre blog

V. Composition / Poster – Le débat final

Que deviendront nos héros? Suivant l'exemple de la "Une" du journal, écrivez un article sur un personnage du Post Scriptum dans le livre. Pour cela, relisez et analysez chaque élément présenté dans LA DÉPÊCHE DU MIDI. Votre histoire sera donc en 3 parties: un titre principal, un sous-titre et un article.

Faites-en un poster, montrez-le et lisez-le en classe. Comparez, discutez tous les posters et votez pour choisir les meilleurs: le plus probable, le plus improbable, le plus réaliste, le plus pessimiste, le plus romantique et le plus drôle.

1. **Le titre principal** est le plus important: court et fort, il attire l'attention du lecteur (bold and big characters).

2. **Le sous-titre** explique la situation et doit donner envie au lecteur d'en savoir plus. (catchy, middle sized).

3. **L'article** explique et raconte les faits en détail (normal). Montrez votre poster et lisez-le en classe.

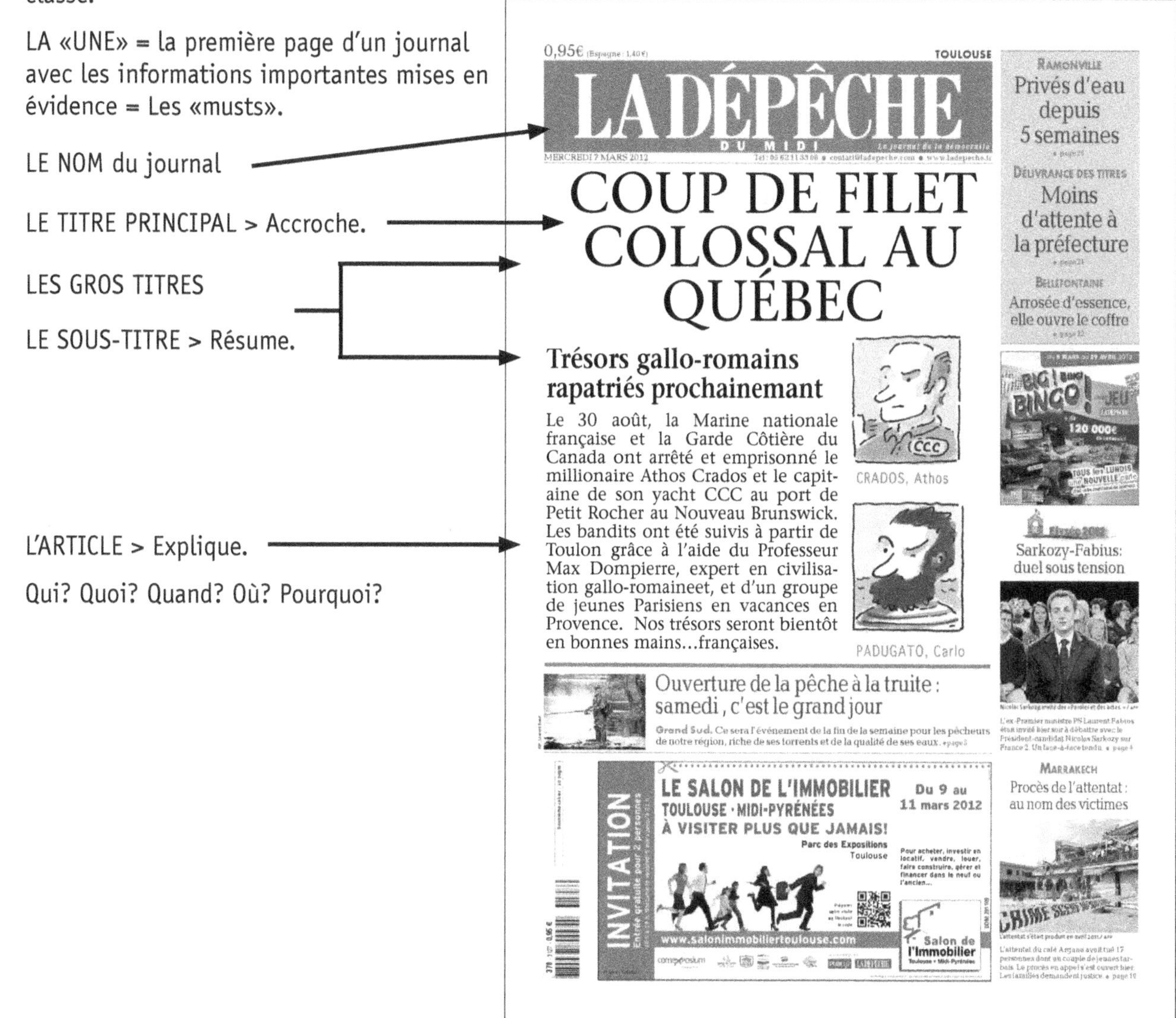

0,95€ TOULOUSE

LA DÉPÊCHE DU MIDI

MERCREDI 7 MARS 2012

COUP DE FILET COLOSSAL AU QUÉBEC

Trésors gallo-romains rapatriés prochainemant

Le 30 août, la Marine nationale française et la Garde Côtière du Canada ont arrêté et emprisonné le millionaire Athos Crados et le capitaine de son yacht CCC au port de Petit Rocher au Nouveau Brunswick. Les bandits ont été suivis à partir de Toulon grâce à l'aide du Professeur Max Dompierre, expert en civilisation gallo-romaineet, et d'un groupe de jeunes Parisiens en vacances en Provence. Nos trésors seront bientôt en bonnes mains...françaises.

Ouverture de la pêche à la truite : samedi, c'est le grand jour

RAMONVILLE – Privés d'eau depuis 5 semaines

DÉLIVRANCE DES TITRES – Moins d'attente à la préfecture

BELLEFONTAINE – Arrosée d'essence, elle ouvre le coffre

BIG BINGO ! JEU 120 000€

Élysée 2012 – Sarkozy-Fabius: duel sous tension

MARRAKECH – Procès de l'attentat : au nom des victimes

INVITATION

LE SALON DE L'IMMOBILIER TOULOUSE · MIDI-PYRÉNÉES À VISITER PLUS QUE JAMAIS! Du 9 au 11 mars 2012

Parc des Expositions Toulouse

www.salonimmobiliertoulouse.com

Salon de l'Immobilier

VI. Traduction des proverbes

Ch 1	**Amis valent mieux qu'argent**	Friends are worth more than money
Ch 2	**Faire d'une pierre deux coups**	Kill two birds with one stone
Ch 3	**Il n'y a pas de fumée sans feu**	There is no smoke without fire
Ch 4	**Rien ne pèse autant qu'un secret**	Nothing is heavier than a secret
Ch 5	**Paris appartient à ceux qui se lèvent tôt**	Paris belongs to early risers
Ch 6	**Il faut cultiver son jardin**	We must cultivate our garden
Ch 7	**Un malheur ne vient jamais seul**	Misfortunes never come singly
Ch 8	**Qui cherche trouve**	He who seeks will find
Ch 9	**De la discussion jaillit la lumière**	Light springs from discussions
Ch 10	**L'habit ne fait pas le moine**	The Cowl does not make a monk
Ch 11	**Le travail fait la santé**	Work is Health
Ch 12	**Le mal porte le repentir en queue**	Evil has repentance hanging on its tail
Ch 13	**Les voyages forment la jeunesse**	Traveling shapes the young
Ch 14	**Tous les chemins mènent à Rome**	All roads lead to Rome
Ch 15	**En France, on n'a pas de pétrole, mais on a des idées**	In France we don't have oil, but we have ideas

Translations are kept as close as possible to the French proverb. When there is a similar saying existing in English, the English version was given.